La generación del mollete

Crónica de un nuevo andalucismo

Jesús Jurado

Primera edición, febrero de 2022

Calle Corredera Baja de San Pablo, 39
28004, Madrid

Colección Ensayo
Diseño de colección: Alejandro Cerezo
Directores de colección: Jorge Lago y Manuel Guedán
Diseño de cubierta y maquetación: Alicia Gómez (malisia.net)
Corrección: Eztizen Uriarte
www.lenguadetrapo.com
ldt@lenguadetrapo.com
ISBN: 978-84-8381-277-8
Depósito Legal: M-3439-2022
Impreso por Kadmos
Impreso en España

La generación del mollete

Crónica de un nuevo andalucismo

Jesús Jurado

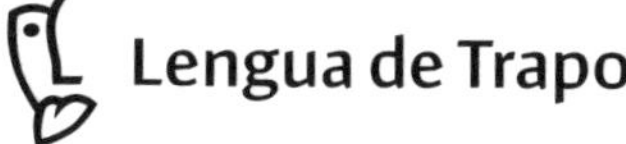
Lengua de Trapo

...e incluso han conseguido
que nos guste lo que somos.

Niñatos soñadores
que inventan fórmulas definitivas,
que cantan todavía insaciables
a pesar de los momentos de lucidez,
a pesar de que luchamos contra un invisible
y la tarea nos quede, probablemente,
demasiado grande.

Algunos todavía no han desertado.
Algunos todavía creen en una idea.

(Todo lo demás es estar muerto).

Gata Cattana, «Todo lo demás, no», 2014

Este libro también se escucha. En las próximas páginas se van a mencionar muchas canciones, series, videoclips, spots publicitarios... Hemos creado una lista de reproducción en Youtube con (casi) todas estas referencias, en orden de aparición, para que puedas consultarlas durante la lectura.

Índice

Malamente

Rosalía, 2018

Plaza de la Marina, Málaga. 17 de noviembre de 2018, primer día de campaña de las elecciones andaluzas. Un multitudinario mitin de Vox cierra al ritmo de *Malamente*, el último y polémico gran éxito de Rosalía. Apenas hay cámaras que registren el momento, que es mencionado como curiosidad en alguna crónica. Todavía no lo sabemos, pero esa escena está condensando muchas tendencias que van a explotar en las próximas semanas, en los próximos meses, en los próximos años. Está pronosticando los resultados de las elecciones del 2 de diciembre. Está anticipando el derrumbe de un partido socialista que ha liderado la autonomía andaluza desde su fundación. Está proyectando el auge de una ultraderecha tan nacionalcatólica como acomodada al siglo XXI. Está estirando hasta el límite las costuras de un más que maltrecho régimen del 78. Está disparando todas las contradicciones que han dado origen a un movimiento, todavía incipiente y difuso, que más adelante se conocerá como nuevo andalucismo.

Congela esa imagen. Este libro pretende contar cómo se llegó hasta esa escena, cuáles fueron sus consecuencias y qué nos depara en el futuro.

* * *

Aquel día yo estaba a más de 500 kilómetros de la plaza de la Marina, concretamente en Madrid, pero me llegan mensajes preocupados de mis amigos de allá, con fotos y vídeos de una plaza abarrotada. He participado en la organización de mítines en ese espacio y sé que no es fácil hacer que parezca lleno, aunque las fotos con el parque y el mar de fondo compensan el riesgo. Lo de Vox va en serio. Y su apuesta por Rosalía resulta, de primeras, desconcertante. Unos días antes, Pablo Iglesias decía que Vox tendría que cantar el *Cara al sol* para distinguirse del PP. Y ahí los tienes, coreando *Malamente*.

Estoy en Madrid, como decía. Empecé hace poco a estudiar unas oposiciones, después de ser despedido de Podemos, donde trabajaba en comunicación política. He rechazado alguna oferta de trabajar para la candidatura de Adelante Andalucía, la confluencia de izquierdas andalucista, pero les he ofrecido echarles un cable en lo que pueda. Su campaña es original, innovadora... se disfruta viéndola desde fuera. Y está basada, al menos en lo que a estética se refiere, en la hipótesis del surgimiento de un nuevo andalucismo cultural que puede tener un amplio potencial político.

Digo que disfruto en la distancia de esa campaña, pero más bien me siento orgulloso de ella. La hipótesis del nuevo andalucismo cultural la estamos esbozando un puñado de politólogos y periodistas asalariados con más voluntarismo que convicción. Lo de asalariados es relevante. Significa que somos gente que escribe mucho, pero para que firmen otros; así que vamos metiendo retazos de las ideas que tenemos en mente en discursos, artículos, intervenciones parlamentarias o *tweets* ajenos, pero nos faltan espacios donde poder desarrollarlas con claridad. Si hoy buscas en Google «nuevo andalucismo» aparecen miles de resultados, pero entonces aparecían solo unas pocas decenas. Empezamos a darle la vuelta convenciendo a mi amigo Sato Díaz, director de *Cuartopoder,* para hacer un reportaje titulado «¿Hacia un nuevo andalucismo?», apenas seis meses antes de que comenzase la campaña electoral. Mi gran aportación a la causa, no obstante, ha sido un artículo publicado hace poco en *CTXT* en el que explico toda la hipótesis aprovechando una polémica que, en principio, nada tenía que ver con el tema: la aparición de *El mal querer*, el álbum de Rosalía que arrasa en todo el mundo.

La polémica había nacido a raíz de las críticas a Rosalía por su apropiación cultural de todo el universo simbólico flamenco. Fue creciendo en redes sociales, sumando artículos a favor o en contra, y poco a poco se estaba convirtiendo, más que en una discusión sobre la apropiación cultural, en una batalla por apropiarse de las teclas que Rosalía había pulsado con tanto éxito. La derecha españolista más espabilada, como la entonces vicesecretaria del Partido Popular, Andrea Levy, se deshacía en elogios a una Rosalía a quien ya imaginaba como la Marta Sánchez de los *millennials*. Una parte del independentismo consideraba a la cantante la prueba viviente de que la cultura de la futura República Catalana no solo sería plural sino también excelente: produciría un flamenco propio mejor que el andaluz. Y luego había un puñado de activistas gitanas o andalucistas que cargaban contra ella porque basaba su éxito en todo el proceso de innovación y actualización del flamenco y otros referentes culturales que llevaban años desarrollándose en Andalucía, sin conseguir una décima parte de la atención recibida por una chica de Barcelona.

Yo me debatía entre cierta fascinación por la música de Rosalía —me flipaba su adaptación de los cantes antiguos, me impresionaba su capacidad de transmitir en sus videoclips toda una subversión moderna y feminista de la tradición andaluza— y algo de frustración por el hecho de que su autora respondiese a un perfil completamente inútil para nuestra balbuciente hipótesis. No solo es que fuera catalana sin raíces andaluzas, es que además era políticamente tan aséptica como un *triunfito* —peor aún, me atrevería a decir, a la vista del posicionamiento abiertamente progresista que adoptaban entonces los participantes en el *talent show*—.

Decidí abordar la cuestión de otro modo. Si algo había aprendido los años anteriores era a evitar los marcos estériles. No tenía sentido ubicarse en el lado de quienes luchan contra la moda, el progreso y el éxito musical. Me parecía que lo relevante era preguntarse por qué esta polémica sobre apropiación cultural surgía en este momento y no en otro, contra Rosalía y no contra otro artista. «Discutimos sobre apropiación cultural cuando se construye un sujeto colectivo que reivindica determinados elementos culturales como propios. O podemos plantearlo a la inversa: solo es posible construir una identidad colectiva reclamando la propiedad sobre determinados elementos culturales, y esa es una operación que solo se puede realizar denunciando su apropiación por parte de un otro», escribí, apuntando así a «la importancia o, si se prefiere, la inevitabilidad de que surjan denuncias de apropiación cultural cuando hay un proceso de construcción nacional/popular en marcha, aunque solo sea como manifestación de una disputa hegemónica, de una batalla cultural por definir qué define a quién». ¿Qué proceso de construcción era ese? «La emergencia, todavía incipiente y difusa, de un nuevo andalucismo». *Voilà*.

El artículo tuvo más lecturas y mejor acogida de lo que yo esperaba. Se compartió mucho en redes sociales, se respondió y replicó en otros medios. Convertirme en «el chico que ha escrito sobre Rosalía» me puso en contacto con referentes del andalucismo político y cultural a los que leía pero con los que todavía no había tenido contacto.

Todo esto que cuento solo pretende subrayar la impresión que me causó la escena inicial: Abascal al ritmo de Rosalía. La canción que dio pie a una intensa reflexión sobre el andalucismo, usada como material de campaña por la extrema derecha españolista. No lo supe entonces, pero empezaba a intuirlo, a *sentir como crujía*: esa tarde, en la plaza de la Marina, se estaban atravesando los dos ejes de cuya intersección nacería el nuevo andalucismo: una crisis económica, política y social que hacía trizas la estructura sentimental de la Andalucía democrática, y un movimiento cultural por la redefinición, modernización y dignificación de la identidad andaluza.

Voy a intentar contarlo de la misma manera que he empezado: a través de escenas, momentos, canciones, versos. Creo que es la única manera de ser honesto al explicar unas ideas que tienen mucho más de intuición que de certeza, de sensaciones que de datos, de autobiográfico que de histórico.

Nación del 37%

La FRAC y 11007, 2013

Isla de la Cartuja, Sevilla. Estamos en algún momento de 2013, creo. Intento datarlo con mayor precisión consultando mi vida laboral y saco poco en claro: entre noviembre de 2012 y enero de 2015 firmé ocho contratos con la misma empresa a través de la misma ETT. Trabajo picando datos en una subcontrata a la que emplean diferentes compañías eléctricas para gestionar sus plataformas internas. No es el trabajo que uno espera cuando acaba de terminar un máster en Relaciones Internacionales, pero al menos me permite sobrevivir mientras sigo presentando solicitudes de becas predoctorales. Mi tema de tesis es la caída del régimen libio, un tema de plena actualidad en aquellos años y que apenas nadie ha investigado en España, así que todo el mundo me anima a seguir intentándolo. La cosa está en que echo ocho horas al día copiando y pegando códigos que no entiendo de un excel a un CSV, y exportándolos a un sistema Oracle cuyo funcionamiento he borrado de mi memoria. Ctrl+C, Ctrl+V. Ctrl+C, Ctrl+V. Estoy convencido de que mi trabajo lo podría hacer perfectamente un mono bien amaestrado, aunque un mono probablemente saldría más caro que yo.

Si algo bueno tiene un trabajo puramente mecánico y exento de relación humana es que al menos te permite escuchar y pensar lo que te dé la gana. En esta época todavía no ha llegado la moda del *podcast*, pero consumo compulsivamente a través de mis auriculares charlas, entrevistas y programas en YouTube. Y música, claro. Un amigo me descubre a La FRAC (Federación de Raperos Atípicos de Cádiz) y acabo aprendiéndome prácticamente toda su discografía. Es así, entre Ctrl+C y Ctrl+V, que el algoritmo acaba llevándome a «La Tuerka Rap», el apartado musical de la tertulia de un entonces desconocido Pablo Iglesias.

Arrancan los violines. «Guerrero, paga la coca, pero de tu borçiyo, pixa». Así empieza *Nación del 37%*, la canción que la FRAC y 11007 envían como colaboración a «La Tuerka». Se refieren, claro, a Javier Guerrero, exdirector general de Empleo de la Junta de Andalucía que se hizo célebre por repartir arbitrariamente millones de euros en la trama de los ERE. Su chófer, por ejemplo, se llevó 1,3 millones, buena parte de los cuales se destinó a pagar cocaína, fiestas y copas para el jefe. Recibimos esas noticias mientras, efectivamente, Andalucía roza el 37% —de desempleo, obviamente— en el primer trimestre de 2013. La canción no pasará a la historia de la música, ni siquiera tiene el humor chirigotero propio de la FRAC; se nota que está escrita deprisa y con rabia, y tal vez por eso encaja perfectamente con el estado de ánimo de quien lleva cinco o seis horas copiando y pegando códigos como un gilipollas.

Rabia contra los corruptos, contra el Gobierno español, contra el andaluz, contra el PSOE, contra el PP, contra la Unión Europea, contra el turismo, contra los caciques y contra quienes, por si faltara algo, nos ridiculizan como vagos que pasan el día en la barra del bar. Pero en *Nación del 37%* no solo hay rabia, también hay orgullo y afirmación andaluza. Se exalta a Cañamero y Gordillo, los líderes históricos del Sindicato Andaluz de Trabajadores (SAT) que el año pasado «expropió» a Mercadona una veintena de carritos de supermercado cargados de alimentos para familias sin ingresos y ocupó la finca de Somonte (Córdoba) para dar trabajo a jornaleros en paro. Eso también encaja perfectamente con el estado de ánimo de quien, cuando no está copiando y pegando códigos, ni enviando *papers* con la esperanza de conseguir las décimas que le faltaron en la última convocatoria de becas FPU, está militando en los movimientos sociales de la Sevilla post-15M.

* * *

Para entender la situación que se vivía en la Andalucía de 2013 nos hace falta algún indicador más allá de ese 37% de desempleo. Tenemos también un 38% de la población en riesgo de pobreza y exclusión, donde un 10% es pobreza severa. Esos datos son confusos, pero vienen a traducirse en retrasos en el pago del alquiler o la hipoteca, en el pánico a gastos imprevistos en más de la mitad de los hogares, en la imposibilidad de comer carne o pescado dos veces por semana en buena parte de los mismos o en el paradójico dato de que el 60% de los habitantes del paraíso turístico no puedan permitirse una semana al año de vacaciones fuera de casa. También somos la segunda comunidad autónoma con mayor número de desahucios, más de 100 000 al año. Según el Instituto de Estadística, solo ese año emigran más de 280 000 andaluces, ya sea al extranjero o a otras comunidades autónomas.

Pero si de verdad queremos comprender esta situación de emergencia social tenemos que ponernos en la piel de la generación que la está sufriendo con más crudeza: los que nacimos a partir de 1980, o sea, los que años después se llamarán *millennials*. La primera generación andaluza nacida en autonomía. La que no sufre un 37, sino un 66% de desempleo.

Mi generación creció desayunando molletes antequeranos con aceite de oliva cada 28 de febrero después de interpretar el himno con la flauta dulce y colorear banderas de verde y blanco. Tuvimos muñecos y camisetas de Curro, la mascota de la Expo, y pegatinas de «Al turismo, una sonrisa». Veíamos *La Banda* en Canal Sur y soñábamos con ir de excursión a Isla Mágica. Quisimos ser paleontólogos cuando vimos *Parque Jurásico*, arqueólogos como Indiana Jones, médicos como Emilio Aragón —aunque la única que hablase andaluz en esa serie fuera la asistenta—. Bailamos la Macarena igual —o mejor— que Bill Clinton. Seguimos creciendo y disfrutamos, como nuestros mayores, de la Semana Santa, los carnavales y las ferias, pero también lo flipamos con Los Planetas, con la Mala Rodríguez, Hora Zulú o Triple X y aprendimos a bailar *breakbeat, reggaeton* o *drum'n'bass*. Estudiamos, y a menudo fuimos los primeros en llevar un título universitario a nuestros hogares. Nos fuimos de Erasmus a las mismas ciudades donde emigraron nuestros abuelos, creyendo que nuestro sino iba a ser muy diferente. La clave estaba ahí, en la demolición absoluta de todas las expectativas de futuro, de todas las promesas de la autonomía, que en Andalucía significa tanto como decir «de la democracia».

La autonomía andaluza se alcanzó gracias a una movilización social sin parangón que tuvo su momento culminante en la manifestación del 4 de diciembre de 1977. Millones de andaluces salieron a la calle en todas las ciudades a exigir que Andalucía accediese a la autonomía plena desde el inicio, rompiendo las previsiones de un poder constituyente que pretendía reservar el autogobierno real para Cataluña, País Vasco y Galicia, y conceder al resto una suerte de autonomía administrativa por fascículos.

Si estás leyendo este libro probablemente ya conozcas los hechos, pero no pueden obviarse. Las comunidades perviven solo por contarse una y otra vez las mismas historias. Sus mitos fundacionales. Y el nuestro arranca, una vez más, en Málaga, en la plaza de la Marina, la misma que 41 años después acogerá el mitin de Vox al ritmo de Rosalía. En esa plaza está el palacio de la Diputación Provincial, y en ese palacio está su presidente, el ogro de esta historia. Francisco Cabeza, un falangista de lo que entonces llamaban «el búnker», se negó a poner la bandera andaluza en el balcón de la plaza de la Marina. Bajo el balcón estaban, además, un grupo de militantes de Fuerza Nueva con rojigualdas —no me cabe la menor duda, por otro lado, de que alguno de ellos repetiría emplazamiento 41 años después—. La manifestación, que había arrancado, familiar y festiva, a poca distancia de allí, se detiene ante el palacio y se desgañita contra el ogro. En algún momento, un joven escala la fachada, arranca la bandera española y coloca una arbonaida que llevaba amarrada a la cintura. Temiendo que se produzca un asalto al edificio, la Policía armada comienza a cargar contra los manifestantes y empiezan a volar adoquines, balas de goma y botes de humo. Toda la Alameda Principal se convierte en un caos de manifestantes que corren, tiran piedras y forman barricadas improvisadas para defender la retaguardia mientras cientos de miles de manifestantes continúan el recorrido en dirección al puente de Tetuán. Y allí, junto al puente, está el cuartel de la Policía Armada, que se convierte en otro frente de la batalla campal. Es entonces cuando varios agentes sacan su pistola y disparan contra los manifestantes. Manuel José García Caparrós, un trabajador de dieciocho años de la fábrica de cervezas Victoria afiliado a CC. OO., cae herido de un tiro en la espalda; morirá desangrado de camino al hospital. Tanto las pesquisas judiciales como la (primera) comisión de investigación formada en el Congreso concluirán sin resolver nunca la incógnita de quién acabó con la vida del joven ni establecer responsabilidades. En 2017, cuarenta años después de su muerte, Eva García Sempere, diputada de Izquierda Unida, consigue por primera vez acceder a las actas secretas de la comisión; solo se le permite leer una versión con todos los nombres tachados y se le prohíbe su difusión.

Todo cuanto rodea el asesinato de García Caparrós es un *true crime* digno de Netflix. El documental *23 disparos* contó, cuarenta años después, cómo las autoridades intentaron ocultar el cadáver, sobornar a los médicos encargados de la autopsia, mentir a la familia de la víctima… Y mientras tanto, Málaga pasaba varios días de estado de excepción, huelga general y guerrilla urbana. En cada barrio se forman barricadas, se queman bancos, se denuncian emergencias por teléfono solo para atraer a los coches de policía a callejones donde poder apedrearlos más fácilmente. «La gente tenía cócteles molotov preparados en fila en las ventanas para lanzarlos al ver pasar a algún coche de policía», recuerda el historiador Fernando Arcas. Pese a la prohibición de reuniones y manifestaciones por el estado de excepción declarado, el funeral de Caparrós se convierte en un acto multitudinario en el que Marcelino Camacho ruega que las protestas tengan un carácter más pacífico. Al día siguiente, el presidente de la Diputación presenta su dimisión.

Por muy alto que fuera el nivel de politización de aquellos años, es difícil sostener que ese clima insurreccional se debiese a una discusión sobre procedimientos constitucionales. No. La *autonomía* fue el término que, durante toda la Transición, funcionó en Andalucía como significante vacío capaz de aglutinar todas las luchas, todas las demandas sociales insatisfechas: de la democracia a las prestaciones sanitarias, del retorno de los emigrantes al derecho a la educación, del asfaltado de las calles a la liberación de los presos políticos, del reparto de la propiedad de la tierra al divorcio. «Nadie sabía qué era la autonomía, pero se planteaba como el deseo de romper con lo que habíamos vivido antes» cuenta el periodista Rafael Rodríguez.

Se comprende así que los objetivos de la autonomía establecidos por el primer Estatuto (1981) fueran tan ambiciosos como desproporcionados con respecto a las competencias realmente asumidas. «La reforma agraria», «la consecución del pleno empleo en todos los sectores de la producción», «el desarrollo industrial», «el acceso de todos los andaluces a los niveles educativos y culturales que les permitan su realización personal y social», acabar con «las condiciones económicas, sociales y culturales que determinan la emigración»... Todo un programa de superación del subdesarrollo andaluz.

Esto es el relato histórico y académico, claro. En cada casa se contaría un relato personalizado diferente. En la mía, el relato de mi madre gira en torno al hecho de que fue a la manifestación con mi hermana, de pocos meses, y mi hermano de dos años cogido de la mano. Y alcanza su clímax narrativo en el momento en que los grises empiezan a disparar, precipitando una estampida de cientos de miles de manifestantes que le obliga a llevar en volandas a un niño de la mano mientras con la otra conduce a toda velocidad un carrito de bebé. De los días siguientes, otro momento clave es cuando una bala de goma entró por la ventana de la cocina y rebotó por las paredes del quinto piso en que entonces vivían. En estos relatos familiares, la motivación política casi nunca aparece de forma explícita, acudir a la manifestación era algo natural, lo que se hacía entonces, la aportación personal a ese episodio histórico que fue la Transición y del que nos sentíamos tan orgullosos. Creo que la primera vez que me contaron todo esto fue mientras veíamos *Cuéntame*. En la serie planteaban la versión madrileña de la historia, pero en Málaga la Transición se resumía en ese cuatro de diciembre, junto a la primera jornada electoral, la noche del 23F y poco más.

Me pregunto si mi perspectiva es demasiado malagueña. En el resto de ciudades las manifestaciones fueron igualmente masivas y tampoco estuvieron exentas de conflictos, pero no tuvieron un balance tan trágico. Sin embargo, según los diarios de la época, aquel día salieron a las calles más de dos millones de andaluces. Teniendo en cuenta que Andalucía contaba entonces con algo más de seis millones de habitantes, la sensación que perduraría fue la de que *todo el mundo estuvo allí*. Me parece significativa una anécdota al respecto: hace unos meses me entrevistaron en una tertulia de Canal Sur a propósito de un artículo que había escrito sobre las críticas contra el acento andaluz de la ministra María Jesús Montero. Uno de los tertulianos, columnista habitual de la derecha sevillana que había participado en las mofas contra la ministra, se defendió alegando que el 4 de diciembre de 1977 él «estaba allí» vestido de verde y blanco. De hecho, llegó a cuestionar mi andalucismo por no haber estado yo en aquella manifestación, causando las risas del resto de periodistas, algo más duchos en calcular a ojo la edad del entrevistado.

A pesar de esa aparente unanimidad en el recuerdo del 4D como fecha indispensable en el curriculum vitae de la Andalucía democrática, lo cierto es que siempre ha sido una efeméride incómoda para la Junta de Andalucía. Tal vez demasiado violenta, demasiado popular, demasiado revolucionaria. La fecha a celebrar como Día de Andalucía de forma festiva, pacífica y consensual sería el 28 de febrero, día en que en 1980 la ciudadanía andaluza ratificó en referéndum la voluntad de constituir una comunidad autónoma por la vía rápida del artículo 151. El 4D quedaría relegado, por un lado, a la izquierda nacionalista que lo celebraría en adelante como el *verdadero* Día Nacional de Andalucía y, por el otro, al ámbito privado, a las anécdotas y batallitas que se contaban en familia. Si es que se contaban, claro. Esa debilidad del relato oficial hizo que el recuerdo de aquellos hechos haya llegado a nuestros días íntimamente ligado a una forma narrativa tan popular como el carnaval gaditano: en 1997 la comparsa *Los Piratas* de Martínez Ares empezaba cantando que «era un 4 de diciembre / cuando tomamos la calle» y terminaba preguntándose «cómo se puede olvidar / veinte años de libertad». El pasodoble se acabaría convirtiendo en otro de los himnos oficiosos de Andalucía, los que se cantan con unas copas de más.

Un momento. Yo estaba contando mi vida en 2013 y de repente me veo recordando batallas de cuarenta años atrás, cuando mi existencia ni siquiera estaba prevista. ¿Pero es acaso posible contar el relato de tu propia vida sin revisar las de tus padres, las de tus abuelos? Disculpen la digresión. Me limito a dejar apuntada una idea: creo que no es casual que la conmemoración y la importancia política del 4 de diciembre hayan adquirido un mayor peso en la última década. Volvamos en todo caso a la Sevilla de 2013.

* * *

Decía al principio que estábamos concretamente en la Isla de la Cartuja. Una lengua de tierra rodeada por dos brazos del río Guadalquivir en la cual se celebró la Exposición Universal de 1992. Qué mejor lugar para conmemorar el V Centenario del Descubrimiento de América que en medio de aquel río que canalizó durante siglos el monopolio del comercio con las Indias. La Expo sería, junto a los Juegos Olímpicos de Barcelona, el momento culminante en la construcción del pensamiento «nacional-optimista» propio de la España democrática, según explica Eduardo Maura en *Los 90. Euforia y miedo en la modernidad democrática española*: «En la España de 1992 seguía percibiéndose una línea recta que unía dos puntos cada vez más alejados entre sí: la democracia y el bienestar económico y social del país. Catorce años después [de la Constitución] no es que España fuera bien, es que era el año de nuestras vidas».

Constata Maura que «ningún dato macroeconómico era bueno, pero eso no importaba tanto» y es difícil resumir mejor la situación, especialmente en el caso andaluz. Si bien la primera década de la autonomía —que coincidía, por cierto, con los primeros diez años de Felipe González como presidente— ciertamente había traído progresos, la brecha territorial no se había reducido en absoluto. La tasa de paro o el porcentaje de población en riesgo de pobreza podían oscilar, pero siempre permanecían al menos diez puntos por encima de la media estatal. El salario medio o el PIB per cápita discurrían, en cambio, siempre muy por debajo de la media. Da lo mismo. Los relatos y momentos que configuran el imaginario colectivo de una comunidad nos dicen mucho más sobre ella que sus indicadores económicos y sociales, porque están articulando una estructura de sentimientos y aspiraciones capaz de determinar la forma en que se va a interpretar la realidad. El deseo de modernización y la aspiración europea fueron una constante en toda la España postfranquista, pero en Andalucía parecían haber configurado una estructura sentimental singular por dar a la necesidad de superar el «trauma» del subdesarrollo —una identidad victimizada— más peso que a superar el subdesarrollo en sí. En este sentido, la Expo, con todo su reconocimiento internacional, su imagen futurista, su lluvia de inversiones públicas, su atracción del turismo... quiso ser, más que una renovación de los votos de la autonomía, una celebración de su superación. El cierre de una etapa. Al menos en lo simbólico, aquel 1992 fue el año en que los andaluces se sintieron por vez primera españoles sin complejos y ciudadanos de una recién fundada Unión Europea.

La modernidad democrática andaluza parecía basarse, en efecto, en dos pilares: Europa y la autonomía. Casualmente mis dos primeras citas electorales fueron dos referendos sobre las mismas cuestiones: el de la Constitución Europea en 2005 y el de la reforma del Estatuto de Autonomía en 2007. En ambos arrasó el «sí» con escasa participación y ambos acabaron teniendo un impacto histórico más bien limitado que contrastaba con las grandilocuentes campañas que los acompañaron, aunque por diferentes motivos. El Tratado por el que se establece una Constitución para Europa nunca acabó de entrar en vigor por la negativa de franceses y holandeses, pero la mayor parte de su contenido acabó imponiéndose igualmente con el posterior Tratado de Lisboa —en el que se prescindió de consulta popular, visto lo visto—. El Estatuto andaluz de 2007, en cambio, superó con éxito toda su tramitación, pero en cierta manera nació muerto[1]. Sobre el papel, el Estatuto de 2007 ampliaba las competencias y el rol de la comunidad autónoma en la configuración de los órganos estatales con una impronta federal, reafirmaba la identidad del pueblo andaluz como «realidad nacional» y enfatizaba el enfoque social y emancipador de la autonomía andaluza, incorporando un catálogo de derechos acorde a las demandas del siglo XXI: igualdad de género, atención a la dependencia, diversidad sexual, participación ciudadana... Pero, leído hoy, el texto parece extemporáneo, fuera de contexto, poco consciente de la mengua identitaria experimentada en las décadas anteriores y completamente inadvertido de las dos crisis que están a punto de estallar: una crisis económica que va a convertir en papel mojado su desarrollo de los derechos sociales y una crisis territorial que va a impedir su desarrollo competencial por el giro centralista iniciado por el Tribunal Constitucional a partir de la sentencia contra el *Estatut* de Cataluña en 2010. Incluso parece ajeno al inmenso escándalo de corrupción y clientelismo que está teniendo lugar y que explotará poco tiempo después con las primeras investigaciones sobre los ERE. El Estatuto de 2007 es, de alguna manera, la cristalización jurídica del clima social andaluz en aquella primera década del siglo en la que todavía celebrábamos sin conflicto el relato de la Transición y la autonomía, en la que creíamos en un futuro de progreso social y económico que indudablemente iría cerrando la brecha que todavía nos separaba del norte, en la que aún nos creíamos ciudadanos de pleno derecho con la posibilidad legítima de participar, como andaluces, en las decisiones del Estado y de la Unión. El canto de cisne de aquel «consenso andaluz» que durante décadas delimitó el mapa político dejando fuera de juego

---

1 Véase al respecto PÉREZ TRUJILLANO, R. *Andalucía y reforma constitucional*, Almuzara, 2017.

a cualquiera que osara cuestionar, a izquierda o derecha, el estado de las cosas.

Todo ello explica que nadie pudiera, por entonces, disputar al PSOE de Andalucía una hegemonía construida, primero, sobre la apropiación del autonomismo —esto es, de la identidad histórica, la democracia y la modernidad— y reafirmada más tarde por el dispositivo 92 y la propia aprobación del Estatuto. El largo Gobierno de Manuel Chaves (1990-2009) aguantó el envite de las victorias de Aznar, pero se fue dejando plumas por el camino. Progresivamente, y empezando por las zonas más urbanizadas, el Partido Popular fue ganando posiciones a través de la construcción de hábiles dicotomías simbólicas que acabaron concediéndole —más tarde que en el resto de España, eso sí— el estandarte de la modernidad. Frente al presente subsidiado, el PP dibujaba un futuro de emprendedores exitosos; frente al jornalero del pasado, el invernadero del futuro; sobre las ruinas de las viejas fábricas, cruceros y rascacielos para el turismo.

* * *

Veinte años después del 92, el PP ha ganado las elecciones andaluzas, aunque no pueda gobernar por la coalición entre PSOE e Izquierda Unida. Y el antiguo recinto de la Expo es una localización envidiable para cualquier distopía posmoderna. Entre aceras cuarteadas devoradas por matorrales, asoman tapas de alcantarilla con el logotipo de la Expo 92. El Pabellón de España se ha convertido en un parque temático que, por si fuera poco, acaba de aplicar un ERE a sus empleados. El Pabellón del Futuro que un día mostrara con optimismo los avances tecnológicos que iban a frenar el deterioro medioambiental es ahora un amasijo de ruinas que la vegetación ha devuelto a su estado natural y del cual emerge un cohete espacial abandonado. La antigua estación de monorraíl ha devenido un monumento al óxido. La de la telecabina ha sido recientemente rehabilitada... como parque de barrenderos.

Descubro todas esas joyas de la arqueología postindustrial mientras voy en bici al máster o a la oficina, porque no todo en la Cartuja es óxido. En el extremo que linda con Triana se está levantando un rascacielos, aunque existen dudas sobre si el proyecto tiene sentido una vez que el banco que lo planeó como sede ha quebrado, se ha rescatado con fondos públicos y ha sido absorbido por La Caixa. Aquí y allá encontramos facultades, centros culturales, empresas tecnológicas como en la que trabajo. Son como esos «brotes verdes» de los que hablara Zapatero en 2010 y que para 2013 tienen ya la connotación sarcástica que hoy conservan. Comentando el paisaje con mis amigos compruebo que casi todo el mundo conserva buenos recuerdos de la Expo y nadie niega que transformó la ciudad para siempre, pero la sensación de que todo aquello fue un espejismo de progreso y un festival de promesas incumplidas también es prácticamente unánime.

Claro que hubo quien se opuso al proyecto Expo desde primera hora. Colectivos vecinales, okupas y movimientos indígenas se manifestaron los días 19 y 20 de abril de 1992 y sufrieron una represión brutal. Como aquel 4 de diciembre en Málaga, algún policía sacó su pistola y dejó tres heridos de bala y 84 detenidos en una jornada negra. Pero a diferencia del rechazo social unánime a la violencia policial vivida el 4D, «los asistentes a la Expo aplaudían a los policías que daban golpes», como recuerda uno de los manifestantes en un reportaje para *Público* 25 años después. Nada de aquello quedó en la memoria colectiva de la Expo.

En 1997 salió a la luz un documental titulado *Prohibido volar, disparan al aire* para contar aquella violencia olvidada. Pero si veinte años después está resquebrajándose la percepción de la Expo —y la de tantas cosas— no ha sido por la labor documental del activismo sevillano, por muy meritoria que esta sea. La película que está triunfando en 2012 es *Grupo 7*, un thriller sobre policías corruptos que se dedican a limpiar de droga las calles del casco histórico sevillano al estilo Harry el Sucio en los meses previos al gran acontecimiento. *Grupo 7* no asume la posición del activismo anti-Expo. Tampoco cuenta gran cosa de la Expo en sí.

Simplemente habla de la violencia, la corrupción y la mentira empleadas con fines propagandísticos: todo debía quedar impoluto para hacer verosímil el mito del 92. Es un relato de descreimiento, de crisis, de decepción, que solo puede encajar en las grietas que se han abierto en aquella estructura sentimental «nacional-optimista» de la que hablaba Maura. Porque en la Andalucía de 2013, más de veinte años después de aquel V Centenario, el «descubrimiento» era otro: volvíamos a ser lo que fuimos, en el peor sentido posible.

Volvíamos a ser pobres, ya lo hemos visto, como también volvíamos a ser emigrantes. La «visión sombría del jornalero» que marcó a Blas Infante seguía estando ahí, pero ahora se multiplicaba en versión urbana gracias a un par de reformas laborales que en la práctica nos privaban de derecho laboral alguno a los que todavía no habíamos accedido a un empleo estable. Cuando en 2011 Duran i Lleida afirmó que los andaluces «reciben un PER para que pasen el resto de la jornada en el bar de su pueblo», en sus palabras volvía a resonar la *Teoría de Andalucía* de Ortega y Gasset: «El andaluz lleva unos cuatro mil años de holgazán, y no le va mal». Montserrat Nebrera tuvo a bien recordarnos que daba igual cuán alto llegase una andaluza como Magdalena Álvarez, porque en el fondo «tiene un acento que parece un chiste». En fin, que volvíamos a ser ciudadanos de segunda en un país que, de por sí, ya era bastante humillado día a día en las instituciones europeas. Volvíamos a ser lo que fuimos... o más bien nos dimos cuenta de que siempre lo habíamos sido.

Decíamos antes que la Junta de Andalucía pasó de puntillas por el 4D en su relato de la autonomía. Pero eso también está empezando a cambiar. En 2013 el Gobierno andaluz decide conceder la medalla de Hijo Predilecto de Andalucía a título póstumo a Manuel José García Caparrós. Tal vez fuera sencillamente la cuota que le correspondía a Izquierda Unida como parte del Gobierno. Pero el encendido y emotivo discurso que Antonio Banderas, otro de los galardonados, dedicó a Caparrós el día de entrega de las medallas hace pensar en algo más. Cuenta Banderas que él también *estuvo allí*, a pocos metros de donde Caparrós fue asesinado, y tenía solo un año menos que él. Revive sus recuerdos de aquella jornada y cuántas veces ha pensado en que podía haber sido él el abatido. Su emoción va creciendo, su voz empieza a quebrarse, apela a Manuel José y le dice: «Hermano, dame la mano y volvamos a aquel Día de Andalucía del año 77, completemos lo inacabado; salgamos de nuevo a las calles de nuestra tierra para gritar lo que no pudo salir de tu garganta [...]. Que en estos días turbios y confusos no podemos correr el riesgo de convertirnos en aquello que criticamos. Que para vivir la vida hay que mirar hacia adelante, pero para entenderla hay que mirar hacia atrás». Recupero la idea que mencionaba antes: si desde 2011, en el conjunto de España, se está cuestionando el relato de la Transición, en Andalucía lo que está revisándose es el relato de la autonomía, que deja de percibirse como un reto colectivo superado y va a problematizarse en un doble sentido, ya sea como error histórico —volveremos a hablar de ello cuando toque hablar de Vox— o como asignatura pendiente —lo veremos cuando toque hablar de nuevo andalucismo—: el consenso andaluz se desbordará por ambos márgenes.

Todo esto me hace dudar si comparto la opinión de Maura cuando afirma que no estamos ante una crisis de régimen, sino ante una «reconfiguración problemática de las condiciones de sostenibilidad del relato modernizador-conservador». O cuando dice que «no estamos ante una segunda transición [sino] como mucho, ante una segunda oportunidad». Pero hay algo en lo que coincido plenamente. Al final de su libro, reconoce que escribirlo le ha servido para comprender mejor a su madre; y creo que a mí también me ayudó en ese sentido. En 1992 mi familia se mudó al apartamento en que todavía vive mi madre. Era su primer piso en propiedad, y tuvieron la mala fortuna de hipotecarse justo el año en que mi padre iba a perder su empleo como director de una oficina de alquiler de coches para turistas. En el pasillo, junto a cuadros de barcos y nudos marineros, mi padre, felipista convencido, colocó aquel año un marco con una imagen de Juan Carlos I vestido de almirante. Claro que su libro me ayudó a comprender aquella decisión de mi padre y los motivos por los que no retiró ese cuadro en los años venideros, en los que nunca recuperó un trabajo estable. Pero lo cierto es que, en torno a 2013, después del escándalo Urdangarin y de la cacería en Botsuana, mi madre quitó por fin el dichoso cuadro del pasillo. Decía que estaba harta, con razón, de cruzarse con un sinvergüenza cada vez que pasaba por allí.

Supongo que sería la misma sensación que teníamos los jóvenes que recorríamos cada día las ruinas de la Expo de camino a la facultad o a nuestro trabajo de mierda. ¿Cómo volver a mirar con los mismos ojos al Curro de nuestra infancia, sus muñecos, sus camisetas?

YouTube me confirma la exactitud de un recuerdo que creía inventado: al término de una marcha del 15M alguien apareció disfrazado de Curro. A saber dónde encontró aquella reliquia. Lo importante es que la indignada muchedumbre recibió a la mascota al grito de «¡queremos curro!». Lo mismo rezaron después unas pegatinas del SAT en las que el pajarito ondeaba una bandera andaluza visiblemente enfadado. Era el principio de una resignificación y subversión del icono de la Expo que incluiría al *Curro nazi* o *Curro terrorista* del colectivo de diseñadores África del Norte, al *Curro Godzilla* que arrasa la ciudad en los carteles de Ricardo Barquín o al *Curro herido* que se desangra como Caparrós en las ilustraciones de Pedro Delgado.

* * *

Es curioso. Cuando empecé a escribir este capítulo mi intención principal era hacer un poco de memoria de los movimientos sociales del ciclo 15M en Sevilla. Ahora pienso, después de páginas hablando del pasado —¿estaba retrasando el momento?—, que no vale la pena detenerme demasiado en ello. Sin duda quienes participaron de todo aquello se merecen que alguien escriba la historia de esos años, pero no voy a ser yo. Al menos esta vez. Siempre es difícil escribir sobre las cosas que has vivido sin haber tomado la suficiente distancia, pero no se trata de eso. Es que más que difícil sería deshonesto por mi parte hacer una caracterización del 15M como movimiento andalucista. Ni siquiera como un movimiento andaluz propiamente dicho: quienes participamos en aquellas manifestaciones, acampadas, asambleas, comisiones... nos sentíamos parte de algo más grande que trascendía con mucho los límites de nuestra comunidad.

El problema es que, como siempre, el relato que ha quedado del 15M es profundamente centralista. Todo empieza y acaba con unos jóvenes de clase media que acampan y discuten en la Puerta del Sol. Y, consecuentemente, la interpretación política que se le suele dar a todo aquello no nos sirve de gran cosa para el propósito que debe cumplir este capítulo, y que espero no haber perdido por el camino: explicar las condiciones en que empieza a fraguarse el nuevo andalucismo.

Alguien más convencido que yo encontraría señales en aquellos días. Por ejemplo, que la prohibición general de portar banderas en aquellas primeras manifestaciones exceptuaba las banderas andaluzas, que se veían y mucho, al menos en Sevilla[2]. Recordaría el encuentro estatal del Movimiento 15M que se celebró en noviembre de 2011 en Marinaleda, el municipio que cobró aquellos años un interés inusitado por su gestión asamblearia y su política de vivienda después de décadas siendo la aldea gala del soberanismo andaluz. La crisis de ese relato oficial que hemos llamado «consenso andaluz» generó curiosidad y rompió tabúes acerca de la izquierda nacionalista, pero ni mucho menos la sacó de la marginalidad política. Por eso me parecería demasiado tramposo tirar de ese hilo. Está claro que había muchos andalucistas en el 15M, pero yo no era uno de ellos. Y creo que no era una excepción, al contrario. Cualquier ciudadano español se sentía estafado, engañado, humillado por los rescates bancarios, las reformas laborales, las subidas de impuestos, los desahucios, los recortes, la corrupción... Era evidente que en Andalucía todas estas desgracias se sufrían con más

2 Francis Jurado afirma en *Un caos bonito* (2021) que en la primera manifestación solo hubo tres banderas: una rojigualda, una republicana y una islandesa. Yo quiero recordar que ya había alguna andaluza, pero probablemente me confunda con alguna manifestación de las semanas siguientes.

intensidad: por eso emigrábamos a otras partes de España y no solo al extranjero. Sin embargo, nuestro hecho diferencial era por entonces, o al menos así lo veíamos muchos, estar diez puntos arriba o abajo en determinados indicadores. Era una cuestión meramente cuantitativa. Por eso —probablemente contra la intención de sus autores, reconocidos independentistas— quise recuperar el título de *Nación del 37%* para describir ese clima.

Algo se movía, sin embargo, más allá de lo cuantitativo. Ojalá pudiera remitirme a una nutrida bibliografía sobre el 15M andaluz, pero solo conozco al respecto el relato que hace Francis Jurado en *Un caos bonito*, y podría decirse que su vivencia y la mía fueron la noche y el día. Es interesante también *Utopía y el valle de las lágrimas*, de Dan Hancox, que cuenta sus breves experiencias en una asamblea en Triana, alguna manifestación y algún centro social en su camino a Marinaleda. Digo que lamento la ausencia de bibliografía porque no voy a contar toda la historia de cómo la Asamblea de las Setas se transformó en una multitud de asambleas de barrios y pueblos, cada una con sus comisiones sectoriales que se reunían semanalmente en Intercomisión. Tampoco voy a hablar de bancos del tiempo, ni de huelgas generales, ni de grupos de consumo, ni voy a reproducir debates sobre si se debía o no acudir a la convocatoria para rodear el Congreso. Ni siquiera voy a reconocer que aquellos años de activismo incansable en los que algunos seguíamos viviendo sin redes sociales y todo se construía sobre la confianza en tus compañeros fueron la etapa que más ha marcado mi vida. Solamente voy a contar que un par de años después de aquel 15 de mayo fundacional, lo único que gozaba de buena salud de todo aquello, hasta el punto de ser tal vez el movimiento social con más fuerza de Andalucía, era la Intercomisión de Vivienda de Sevilla.

Tal vez me centro en ella porque es lo único de lo que puedo hablar con relativa distancia. Yo solo participaba en acciones puntuales y colaboraba con el PIVE de mi barrio, Triana. Los PIVE eran 'Puntos de Información de Vivienda y Encuentro' que existían en cada barrio, sitios donde acudían las personas que no podían hacer frente al pago de su vivienda. Me da coraje emplear un símil que en aquel momento habría levantado ampollas, pero hay que priorizar el interés del lector: venían a ser algo así como asambleas de la PAH. Mucho más autónomas, creo. Y con algunas diferencias estratégicas. Uno de los puntos de fricción entre ambos movimientos —aunque la PAH era por entonces residual en Sevilla— era la cuestión de la dación en pago, que en el PIVE de Triana solo se aceptaba como ultimísima opción. La estrategia a seguir en la mayoría de los casos era la impugnación de cláusulas abusivas de las hipotecas, especialmente en todo lo relativo al tipo de interés. Incluida la impugnación del propio euríbor. Ahí entré yo a colaborar, diseñando un excel —para algo tenía que servirme la experiencia laboral— que permitía recalcular todas las cuotas abonadas descontando los intereses anulables, de tal modo que a menudo era el banco el que acababa debiendo dinero a quien quería desahuciar. Muchos años después leería *De vidas ajenas* de Emmanuel Carrère y su personaje del juez Étienne Rigal me recordaría intensamente a Yimbo, Marisa, Diego y tantos otros que impulsaron la iniciativa OpEuribor o se pasaron años predicándola en el PIVE[3]. Pero otra vez me estoy desviando del tema.

Decía que fue en el movimiento sevillano por la vivienda donde empezaron a surgir —o más bien empecé yo a ver— fenómenos que sí cabe calificar como propiamente andaluces y que iban a ir más allá de la concepción cuantitativa de la nación que comenté antes. En mayo de 2012, treinta y seis familias ocuparon un bloque de viviendas vacío en el barrio de San Lázaro, al que bautizaron «Corrala de Vecinas La Utopía». La ocupación era fruto de meses de trabajo cuidadoso y clandestino por parte de activistas de la Intercomisión, que además de localizar el inmueble más adecuado y organizar la logística del asunto, había hecho una labor de preparación intensa del colectivo de familias. Después de la Utopía vinieron la Ilusión, la Esperanza, la Libertad, la Unión... diría que llegó a haber hasta doce simultáneas aquel año porque recuerdo un calendario de 2013 en el que cada mes lo protagonizaba una

3 Nuevamente me remito a JURADO, F. op.cit. para mayor información sobre #OpEuribor.

corrala distinta. Más de un centenar de familias realojadas solo en Sevilla, y pronto surgieron nuevas corralas en otras provincias. El perfil distaba mucho del joven de clase media indignado ante la falta de expectativas: eran familias trabajadoras con miembros de todas las edades, la mayoría sin trayectoria activista, que a menudo tenían serios problemas más allá de haber perdido su casa. Se habían conocido en los PIVE, donde a quienes ya no tenían recurso legal alguno para permanecer en su vivienda, se les ofrecía la opción del realojo.

Se podrá argumentar, con razón, que este movimiento era prácticamente idéntico a la Obra Social de la PAH y que incluso esta venía influenciada por las ocupaciones que se solían practicar en otros países y momentos. Totalmente de acuerdo. La clave estaba en el empleo del término *corrala de Vecinas* y en toda la filosofía de fondo que concentraba. «Creo que es una oportunidad de volver a un sentido más comunitario», decía Irma, una de las realojadas, en el documental *Habitar la utopía*, «de volver a tocar en la puerta de la vecina a pedir un poco de azúcar o una ramita de hierbabuena, que hasta eso hemos perdido». Aguasanta, otra de las vecinas, recuerda que fue, ante todo, un movimiento de mujeres: «Lo que nosotras hemos hecho no se ha hecho en ningún sitio del mundo y lo hemos hecho nosotras [...] una mujer con sesenta años y cuatro *desgraciás* con tres niños chiquititos que no sabíamos *pa* dónde íbamos a tirar. La lucha que hemos *llevao* de mujeres debería seguir». Como constata Mar Gallego, el de las Corralas fue un movimiento «que no desconocía la fuerza de las mujeres trabajadoras y de su resistencia y que no dudó en usar esa fuente de energía inagotable».

Unos años antes, en alguna oficina bancaria, una mujer vestida de negro levanta los brazos, derrama una lluvia de céntimos sobre el suelo y empieza a taconear sobre ellos mientras alguien la graba con un teléfono móvil. Un empleado pregunta: «Perdona, ¿me podéis explicar qué quiere decir esto?». Es la primera acción de Flo6x8, un colectivo flamenco anticapitalista que va a hacerse popular en los próximos años por sus espectaculares acciones de guerrilla musical en oficinas bancarias. Cantan fandangos y bailan bulerías contra Bankia, montan una rave flamenca en el Santander, van a Barcelona a tocar una rumba catalana en la sede de la Caixa. Y apoyan, claro, a las vecinas de la Corrala, con las que bailan unos tangos en la oficina central de Ibercaja, el banco que pretende desalojarlas.

Paralelamente, en aquellos mismos años, Gata Cattana escribe «será que por estar lejos he hecho mía esta cultura popular de la que tanto renegué [...] el desarrollo no es sintetizar mil principios activos y sustancias químicas hasta lograr dar con la fórmula del perfecto antimosquitos; ya teníamos jazmines». En esa revolución de la hierbabuena y del jazmín, en esa reivindicación del saber popular de las mujeres andaluzas, en esa recuperación de las tradiciones para reconstruir las redes sociales de apoyo y la conciencia de comunidad devastadas por el individualismo, estaban las raíces de lo que luego se llamará *feminismo andaluz*, sin el cual será imposible comprender el nuevo andalucismo. Si he hablado del movimiento andaluz por la vivienda no es porque Andalucía liderase el número de desahucios —que también—, sino porque fue capaz de proyectar un hecho diferencial que iba más allá de lo meramente cuantitativo. Estaba resignificando la identidad andaluza más allá del optimismo modernizante de la Expo sin volver al victimismo del subdesarrollo superado en el 92. Estaba proyectando una Andalucía combativa, feminista, comunitaria, anticapitalista, orgullosa, atractiva y alegre. Estaba anticipando, muchos años antes de que María José Llergo lo dijera en un *spot* de Cruzcampo, que *empowerment* en andaluz se dice *poderío*.

* * *

Escribir estas últimas páginas me ha obligado a revisitar webs del 15M que creía cerradas, a volver a ver vídeos y documentales en los que no dejo de reconocer a antiguos amigos, a revisar mi correo electrónico en busca de actas de asambleas... para al final no acabar escribiendo casi nada. Aquello no acabó bien. Demasiadas derrotas, demasiados desalojos, demasiadas amistades rotas, demasiados conflictos. Uno de ellos, y no el menor, tuvo que ver con el ambiguo papel que en el asunto de *La Utopía* tuvo la Consejería de Vivienda, entonces en manos de Izquierda Unida. Y eso me lleva al Corrala Rock, un festival de apoyo celebrado en diciembre de 2013. Además de las actuaciones de la FRAC, Boikot o Def Con Dos, se organizó una mesa de debate titulada *La ruptura del pacto constitucional: ellos rompen, nosotras respondemos* con la participación de Nines Maestro, Diego Cañamero, Ada Colau y Pablo Iglesias. Iglesias defendió en su intervención que no quería ser «la izquierda guay» que gana batallas morales pero al final siempre pierde. Que había que asumir cuantas contradicciones fueran necesarias para que la izquierda combativa llegase a las instituciones, desplazando a «la izquierda responsable y encorbatada», y empezar así a dar un poquito de miedo a los de arriba.

Un mes más tarde, una veintena de activistas ocupamos la Consejería de Vivienda y nos encerramos allí «indefinidamente» para exigir a la Junta de Andalucía —en realidad a IU, a tenor de los cánticos que recuerdo— que «en caso de que Ibercaja no quiera negociar, inicie los trámites de expropiación del edificio». Pasamos allí la noche y al día siguiente nos marchamos sin que, evidentemente, la Junta hubiera iniciado expediente expropiatorio alguno. Fue en aquella destartalada acción donde conocí a una pareja de activistas gaditanos de la Marea Verde llamados Kichi y Teresa.

Tres meses después la policía desalojaba la Corrala Utopía. La noticia me pilló en Quito, en la Escuela de Revolución Ciudadana que organizaba el Gobierno de Rafael Correa para la formación internacional de activistas y cuadros mediante el aprendizaje de la experiencia ecuatoriana. Lo sentí como la gota que colmaba el vaso. Definitivamente estaba cansado de derrotas y me moría de ganas de poder celebrar alguna vez una victoria. Creo que el lector imaginará ya cuál es el tema del próximo capítulo.

Efemérides

Gata Cattana, 2015

Universidad Complutense de Madrid, 24 de septiembre de 2016. Es ya de noche. En los jardines, varios centenares de personas disfrutan de un concierto después de todo un día de charlas en la Universidad de Verano de Podemos. Sobre el escenario, la rapera Gata Cattana canta: *por eso mismo hicimos lo que estaba vetao' / más vivos que nunca y a pique de habernos matao' / reventando el mercao'*.

Allí estoy yo, en el concierto, y podría estar pensando que esos versos resumían bien lo vivido en los dos últimos años de mi vida, en los que me he dedicado en cuerpo y alma a montar un partido que ha roto todos los tabús de la izquierda y ha puesto el escenario político patas arriba. Pero no. Estoy en el concierto a ratos, hablando con compañeros, pegado al móvil, discutiendo movidas de «la interna», es decir, del conflicto entre facciones dentro de Podemos, que en ese momento está alcanzando su punto álgido. La semana anterior, Teresa Rodríguez convocó Asamblea Ciudadana en Podemos Andalucía para hacerla coincidir con la de Podemos Madrid, disolviendo el órgano de dirección del que formo parte desde su fundación. Vamos, que me está purgando. Hace dos días me ha escrito por Telegram: «No me creo vuestro andalucismo. Ea, ya lo he dicho».

El concierto sigue y yo estoy, como digo, pegado al teléfono, a pesar de que tengo muchas ganas de escuchar a esa rapera cordobesa de la que me han hablado tan bien. Poco rato después, el concierto ha terminado y yo he desaprovechado mi única oportunidad de disfrutar de una artista que va a morir menos de seis meses después. Nadie podía imaginarlo en ese momento, claro, como tampoco nadie podía imaginar la importancia que Gata Cattana acabaría cobrando en la configuración del nuevo andalucismo. Estábamos a otras cosas.

* * *

Terminaba el capítulo anterior contando que fue en Quito donde recibí la noticia del desalojo de la Corrala Utopía. Fue también allí donde me enteré de que había sido elegido en primarias para formar parte de la lista de Podemos a las elecciones europeas de mayo de 2014, en el humilde puesto 49. El proyecto de Podemos se inspiraba, claro, en las ideas que Iglesias llevaba tiempo defendiendo en «la Tuerka» y más recientemente en televisión, pero en Sevilla, como en muchas otras partes del país, se vertebraba sobre todo a través de Izquierda Anticapitalista (IA), un pequeño partido trotskista escindido de Izquierda Unida en 2008 que había conseguido conectar bien con el espíritu y la estética del 15M. Sus militantes se movían en los mismos colectivos que yo, muchos de ellos eran amigos míos, participaba incluso en su proyecto de *Alternativas desde abajo* que prefiguró en cierta manera la candidatura a las elecciones europeas. No obstante, cuando llegó el momento de ponerse a montar las listas, animado por otros compañeros sin filiación política, preferí presentarme a las primarias yo mismo antes que seguir delegando la representación en un partido que veía demasiado tradicional para mi gusto. Otros alertaban del riesgo de vaciar los movimientos sociales y vecinales para llenar el nuevo partido, pero la sensación era que poco se perdía ya; las cosas difícilmente podían ir a peor. El Gobierno de Rajoy no solo había ignorado todas las demandas de las plazas, sino que las reprimía de forma cada vez más violenta. Las Marchas de la Dignidad, en las que la columna andaluza tuvo un protagonismo decisivo, fueron disueltas a pelotazo limpio sin que mediara excusa alguna. Las calles empezaban a convertirse en un triste escenario de derrotas, y cualquier pedacito de poder institucional que se les arrebatase a los de arriba, bueno sería.

En fin, que en cuanto volví de Ecuador me embarqué en una campaña electoral completamente improvisada, sin manual de instrucciones, en la que hicimos cuanto pudimos. Me estrené en Facebook y Twitter, pegué carteles, di mis primeros mítines... La noche electoral del 25 de mayo de 2014 lloré emocionado al ver unos resultados que no podíamos imaginar. Y que tampoco sabíamos gestionar. Quienes, como yo, acabábamos de llegar a la política de partido, no nos esperábamos la que nos venía encima. Las plazas volvían a llenarse de gente como unos años atrás, pero esta vez, además de la rabia, había un entusiasmo y una moral de victoria —de revancha, tal vez— que antes no existían. Pronto surgieron dinámicas a las que no estábamos acostumbrados. Los conflictos sobre cómo organizar el nuevo partido dejaron de ser locales y pasaron a ocupar espacio en los medios de comunicación. Interiorizamos discusiones ajenas hasta el punto de empezar a desconfiar de las personas con las que llevábamos años compartiendo espacios y luchas. A conspirar unos contra otros, a competir en primarias, a pelear por cargos...

A menudo leemos que el fracaso —al menos relativo— de Podemos se debió a la inmadurez y veleidad de sus dirigentes. No deja de ser cierto, y me acuso el primero. Fui elegido miembro del Consejo Ciudadano Municipal de Sevilla en enero de 2015 pero, tan pronto como tomé posesión, Susana Díaz adelantó las elecciones andaluzas y me tocó dejar las tareas locales para coordinar todo el argumentario de esa campaña. Aunque los resultados electorales no fueran los deseados, mi experiencia se consideró imprescindible para asesorar las campañas municipales y autonómicas que iban a celebrarse en el resto de España dos meses más tarde, de modo que me marché a la capital. Mi idea era volver al cabo de esos dos meses, pero siempre había alguna tarea impostergable que retrasaba mi regreso y, cuando no, entonces faltaban fondos en Andalucía para trasladar allá mi contrato de trabajo, o mi presencia resultaba incómoda para quien debía firmarlo... En fin, que *Me perdí en Madrid*, como cantaría Yung Beef unos años más tarde. Podría aprovechar para pedir disculpas a mucha gente por los errores de entonces, pero me temo que aportaría poco al relato. Porque de lo que se trata en este capítulo es de poner la emergencia del nuevo andalucismo en su contexto político, que no se explica por veleidades personales, sino por dos fenómenos que discurrieron en paralelo: la desaparición del andalucismo político y la teórica apuesta de Podemos por un estado plurinacional.

* * *

En el capítulo anterior hablaba del autonomismo andaluz con motivo del 4 de diciembre y con alguna referencia al Sindicato Andaluz de Trabajadores, pero para comprender qué significó el andalucismo político y su final debemos ahondar algo más en la historia. Podemos ubicar sus raíces[1], al menos, en el republicanismo federal y cantonal del siglo XIX, con figuras como Ramón de Cala, Fermín Salvochea o Rafael Pérez del Álamo, tomando el proyecto de Constitución Andaluza de 1883 como texto de referencia. La llamada «Constitución de Antequera» fue uno de los acuerdos adoptados por el Partido Republicano Federal a partir de 1869 para vertebrarse internamente a la imagen del país que se anhelaba. Este republicanismo andaluz se caracterizó por su influencia libertaria y pimargalliana —especialmente en una concepción de la soberanía como constructo que, partiendo del individuo,

1 Para este apartado, véase PÉREZ TRUJILLANO, R. *Soberanía en la Andalucía del siglo XIX: Constitución de Antequera y Andalucismo histórico*, Atrapasueños, 2013; y del mismo autor, «El andalucismo republicano fallido: historia de una cultura constitucional y un movimiento político» en CLARET, J. y FUSTER, J. (coord.) *El regionalismo bien entendido: ambigüedades y límites del regionalismo en la España franquista*, Comares 2021.
Para profundizar en la historia del andalucismo se recomienda también la bibliografía recopilada al respecto por Manuel Ruiz Romero en la web de la Fundación Blas Infante https://fundacionblasinfante.org/bibliografia-sobre-el-andalucismo-historico/.

se eleva confederalmente desde el municipio hasta el Estado— y su énfasis en la cuestión agraria, en un contexto de frecuentes y violentas sublevaciones jornaleras. En la transición de este republicanismo andaluz hacia un andalucismo republicano resultaría clave un tercer elemento: la emergencia de un regionalismo cultural —en el que destacan dos Antonios Machados, abuelo y padre respectivamente del célebre poeta— que va a construir una primera idea de la identidad cultural andaluza centrando su atención en el folklore y en el esplendor andalusí. En la intersección de republicanismo federal, cuestión agraria y regionalismo cultural crecerá la figura de Blas Infante (1885-1936) como principal teórico y referente del nacionalismo andaluz. Contrariamente al esencialismo racial, cultural o histórico de la idea de nación vigente entonces en Cataluña, Euskadi, Galicia o la propia España, el pensamiento infantiano tiene una impronta humanista, social y constructivista que lo conecta a la tradición republicana pimargalliana, incluso a los movimientos anticoloniales posteriores, más que al resto de nacionalismos de su época. Una ideología que «no tiene nada de nacionalismo o, cuando menos, no tiene ningún elemento nacionalista que no tuviera ya el republicanismo». Solo así pueden entenderse afirmaciones como: «En Andalucía no hay extranjeros» o «mi nacionalismo, antes que andaluz, es humano». En el fondo era la única deriva coherente para un movimiento que, a diferencia de las experiencias catalana, vasca o gallega, no encontró sostén alguno en unas élites andaluzas demasiado integradas en el Estado —del gaditano Mendizábal al jerezano Miguel Primo de Rivera, pasando por el malagueño Cánovas del Castillo— y conscientes de no poder hegemonizar un proyecto nacional-popular en una sociedad extremadamente polarizada por la desigualdad desde la misma conquista castellana.

Aunque el proyecto andalucista de Infante no fuera capaz de articularse en torno a un partido capaz de lograr representación durante la Segunda República, sus ideas —como la bandera y el escudo aprobados en la Asamblea de Ronda de 1918; el himno vendría unos años más tarde— calaron entre la población a través de los Ateneos y Centros Andaluces y fueron asumidas por otros partidos republicanos, que inician en 1933 los trámites constitucionales para la aprobación de un estatuto de autonomía para Andalucía. El golpe de Estado de 1936 abortará la obtención de la autonomía y conducirá al fusilamiento de Infante por una cuadrilla de falangistas a las órdenes de Queipo de Llano. Su único delito fue, según la condena dictada cuatro años después de su asesinato, ser «propagandista de un partido andalucista».

La represión, el exilio y la muerte de aquella generación mantendrá al andalucismo político en el olvido durante varias décadas. Sin embargo, en la década de 1960, un grupo de estudiantes antifranquistas de la Universidad de Sevilla entre los que destacará Alejandro Rojas Marcos, sin conocimiento previo de la vida u obra de Blas Infante, llegarán a conclusiones muy similares a las de este respecto a la identidad, los problemas centrales y la necesidad de autonomía política de Andalucía, pero desde unas coordenadas diferentes: las teorías de la dependencia y el colonialismo interior y las diferentes corrientes marxistas surgidas en torno a los movimientos de liberación nacional en el tercer mundo. Con la llegada de la democracia se constituirán como Partido Socialista de Andalucía (PSA) adoptando en 1984 el nombre de Partido Andalucista (PA). Fue el PSOE de Andalucía, como se explica en el capítulo anterior, el partido que mejor capitalizó la conquista de la autonomía, pero no obstante el PA, a diferencia del andalucismo republicano, sí obtendrá una presencia institucional significativa. En 1979 gana importantes ayuntamientos como los de Sevilla, Jerez o Ronda, y sus cinco diputados consiguen formar por primera y única vez en la historia un «grupo andalucista» en el Congreso. Es también significativo que los dos primeros parlamentarios autonómicos andalucistas fueran elegidos en 1980 en el *Parlament* de Cataluña. Dos años después se estrena en el Parlamento andaluz, donde nunca superará la cifra de diez diputados. Resumiendo mucho, podemos decir que la vida interna del PA fue convulsa, agitándose entre querellas personalistas y bandazos en su estrategia: entre 1991 y 1995, Rojas Marcos gobierna Sevilla con el apoyo del PP, entre 1996 y

2004 se integran en la coalición del Gobierno andaluz del socialista Manuel Chaves... En 2007 serán el único partido que desafiará el consenso andaluz oponiéndose a la reforma del Estatuto de Autonomía; su aprobación por más del 87% de los votos demuestra su irrelevancia. A partir de 2008, el PA pierde toda representación parlamentaria e inicia un largo declive plagado de escisiones que terminará con la disolución del partido en 2015. Para entonces, en la práctica, ya nadie contaba con ellos.

Así se explica su ausencia en el capítulo anterior, en el que, sin embargo, sí he mencionado un par de veces al Sindicato Andaluz de Trabajadores (SAT), por lo que tenemos que hacer una matización. Aunque el PA siempre se consideró un partido progresista, a su izquierda siempre hubo otras fuerzas como Nación Andaluza y, especialmente, la Candidatura Unitaria de los Trabajadores (CUT). La CUT se fundó en 1979 como herramienta electoral del Sindicato de Obreros del Campo (SOC), organización precursora del SAT y heredera del sindicalismo jornalero libertario y del nacionalismo andaluz, con influencias también de la teología de la liberación —su fundador fue el cura obrero Diamantino García— y del maoísmo y otras izquierdas heterodoxas. Desde una perspectiva muy similar a la que tenía la extrema izquierda del resto del Estado respecto a la Transición, la izquierda nacionalista andaluza elaboró un relato de la autonomía como traición a los intereses del pueblo trabajador andaluz. De ahí su definición del 4 de diciembre como verdadero Día Nacional de Andalucía frente a la «farsa despolitizada» del 28 de febrero. Pese a su radicalidad y tendencia independentista, la CUT formó parte de Izquierda Unida desde 1986 y, aunque su implantación territorial estuviese muy focalizada en determinadas comarcas rurales, el carisma de sus dirigentes —como Sánchez Gordillo, alcalde de Marinaleda— y el músculo de sus movilizaciones sindicales le garantizaron una presencia significativa en la vida política andaluza. De hecho, cuando en el capítulo anterior hablaba de la presencia de andalucistas en el 15M, obviamente me refería a los militantes de este partido-sindicato. La firme oposición del también diputado Sánchez Gordillo a la decisión de Izquierda

Unida de integrarse en el Gobierno del PSOE en 2012, así como las espectaculares acciones y movilizaciones del SAT liderado por Diego Cañamero, le dieron a esta corriente andalucista una fuerza notable durante el período de 2011 a 2014, vinculada al auge de los movimientos sociales en aquellos años. En aquella mesa de debate del *Corrala Rock*, entre Ada Colau y Pablo Iglesias, encontrábamos a Diego Cañamero. Lo anoto porque más tarde tocará volver sobre ello.

El historiador Javier García Fernández ha planteado recientemente un análisis del andalucismo estructurado en tres olas históricas[2]. La primera se corresponde con el andalucismo republicano de Infante, la segunda con los andalucismos surgidos durante la Transición, y la tercera con el nuevo andalucismo que nos ocupa. La «difícil transición de la segunda a la tercera ola» que plantea García tiene lugar, como decíamos antes, en un contexto caracterizado tanto por la desaparición del andalucismo político como por la aparición de la propuesta plurinacional de Podemos.

* * *

Sevilla, 13 de abril de 2014. En el Hotel Alfonso XIII, un magnífico ejemplo de la arquitectura regionalista ligada a la Exposición Iberoamericana de 1929, un cliente se levanta temprano y sale a dar un paseo por la zona. Tal vez se encuentra, en el cercano Pabellón de Uruguay, a unos jóvenes recogiendo firmas para avalar a un nuevo partido llamado Podemos que quiere presentarse a las elecciones europeas del mes siguiente. De encontrarlos, probablemente sonriese para sus adentros. Ese proyecto llamado Podemos es, en buena parte, producto de su propio trabajo intelectual, el que le ha traído a Sevilla para dar una conferencia sobre «La construcción discursiva de los antagonismos sociales» en la Universidad Internacional

2 GARCÍA FERNÁNDEZ, Javier, *El andalucismo que viene: retos y horizontes de la tercera ola del andalucismo político*, *La Voz del Sur*, 22 de noviembre de 2020, disponible en https://www.lavozdelsur.es/opinion/andalucismo-viene-retos-horizontes-tercera-ola_252375_102.html.

de Andalucía. Pero lo más seguro es que no se cruzara con ninguna recogida de firmas en su camino de vuelta al hotel, es demasiado temprano. No lo sabremos nunca. De hecho, lo último que sabemos de él es que sale a tomar un baño en la piscina del hotel. Allí sufre un infarto. Acaba de morir el teórico argentino Ernesto Laclau.

Conocí los textos de Laclau en una sesión de formación de Izquierda Anticapitalista, en torno a 2013, en el Ateneo Tierra y Libertad de Sevilla. Su interpretación del concepto de hegemonía de Antonio Gramsci a partir del análisis del peronismo argentino iba a ser la clave de bóveda de «la hipótesis nacional-popular», esto es, del proyecto político que más tarde recibiría el nombre de Podemos. Fueron muchos quienes trabajaron esta hipótesis, pero sin duda quien más clara y explícitamente la expresó fue siempre Íñigo Errejón. Fue, sobre todo, quien más empeño puso en traducir al contexto español una propuesta política íntimamente ligada al contexto latinoamericano. En un artículo publicado en plena campaña de las elecciones generales de 2015 —qué campañas aquellas en las que se escribían cosas así— Errejón resumía qué significaba lo «nacional-popular»[3]:

> *[...] Una política patriótica, radicalmente democrática, que hace coincidir los intereses del país real con los de sus mayorías subalternas. Esta política es especialmente posible en un momento en el que las élites han defraudado la confianza puesta en ellas, han secuestrado las instituciones y la soberanía popular y amenazan la viabilidad de la convivencia y de las condiciones de vida de la ciudadanía. Pero es también el resultado de la orfandad cultural y política de los subalternos y su consiguiente fragmentación: el colapso o ausencia de símbolos, mitos, referentes y*

---

3 «¿Por qué Podemos? Algunas razones de la remontada», *Público*, 27 de noviembre de 2015. Consultable en https://www.eldiario.es/opinion/tribuna-abierta/traduciendo-nacional-popular-razones-remontada_129_2338662.html.
Una versión más extensa de las matizaciones plurinacional y ciudadana puede encontrarse también en «Abriendo brecha: apuntes estratégicos tras las elecciones generales», *Público*, 11 de enero de 2016 (disponible en https://blogs.publico.es/dominiopublico/15529/abriendo-brecha-apuntes-estrategicos-tras-las-elecciones-generales/) y en el documento político «Desplegar las velas» presentado en la II Asamblea Ciudadana de Podemos y disponible aquí https://eoo-elmundo.uecdn.es/documentos/2017/01/13/Errejon.pdf.

> *liderazgos con los que construirse como un «nosotros» con vocación mayoritaria. Por eso su posible articulación política como «pueblo» ha de basarse en una amplia agregación de insatisfacciones heterogéneas en torno a catalizadores nuevos, un horizonte refundacionalista y, sobre todo, la frontera que delimite las identificaciones y lealtades.*

Quienes teníamos —me incluyo, claro, ya dije que trabajaba en la Secretaría Política que dirigía Errejón— la tarea de aplicar esta hipótesis a la realidad española nos encontrábamos dos obstáculos —en realidad eran tres, pero el último lo guardo para más tarde—. El primero era que «lo popular» en España, especialmente en sus ámbitos urbanos, era más propiamente «lo ciudadano»; esto es, que la relación con la esfera pública no se establecía de forma comunitaria, sino fundamentalmente individual, a través de canales administrativos o de consumo previamente establecidos. De ahí que para articular políticamente un «nosotros» —«construir pueblo», solía decirse— fuera necesario, además de denunciar la situación sufrida, hacerse cargo de unas expectativas de futuro y un horizonte aspiracional que en su esencia eran individualistas y deudoras del ideal meritocrático. Pero lo que nos interesa en este momento es el segundo obstáculo: lo nacional. Una cuestión espinosa en un país en el que no solo la historia y los símbolos oficiales eran usadas por las élites conservadoras de forma patrimonial, sino en el que además se estaban agudizando las tensiones identitarias en sus periferias, especialmente en Cataluña.

Planteaba Errejón que «la problemática nacional en el Estado español no es la catalana o vasca sino, principalmente, la española. Al respecto, Podemos está logrando un encaje inédito: es al mismo tiempo la fuerza que más abiertamente reivindica un patriotismo español [...] y la fuerza estatal de relevancia más firmemente defensora y comprometida con la *plurinacionalidad*». La plurinacionalidad sería la «alianza fraternal y en pie de igualdad entre una fuerza nacional-popular española —ingrediente que ha faltado en otros intentos— y fuerzas nacionales o soberanistas en las periferias». A semejanza de los pactos federales del Partido Republicano Federal del siglo XIX, Errejón proponía «una forma confederal de organización de las fuerzas progresistas, que puede anticipar formas flexibles de construcción de la nueva arquitectura territorial para el Estado plurinacional». Su apuesta se materializó, para las elecciones del 20D, en las confluencias electorales realizadas en Galicia bajo la marca En Marea, en el País Valenciano con Compromís y en Cataluña con En Comú Podem. Constituidas las nuevas Cortes, el grupo parlamentario de Podemos asumió una estructura confederal que incluía subgrupos propios para las confluencias catalana y gallega —los diputados de Compromís prefirieron mantener una mayor independencia desde el Grupo Mixto—.

¿Y Andalucía, qué? Pues en Andalucía, ya lo hemos visto, no quedaba nadie con quien confluir. El Partido Andalucista ya se había disuelto por entonces y los partidos nacidos de sus cenizas no tenían apenas relevancia. Y la otra rama del andalucismo histórico, la CUT, enfrentaba por entonces una crisis de envergadura. Recordábamos antes la presencia de Cañamero en la mesa de debate con Iglesias del *Corrala Rock* en la que se criticó duramente la decisión de Izquierda Unida de mantener un Gobierno de coalición en Andalucía junto al PSOE de Susana Díaz. Se cuenta que Iglesias intentó convencer por entonces a Cañamero de liderar el futuro Podemos andaluz, pero el dirigente sindical no se decidió a tomar un camino en solitario al margen de la CUT, que seguía integrada en Izquierda Unida. Su negativa acabaría conduciendo, en enero de 2015, al liderazgo de la gaditana Teresa Rodríguez, que había obtenido un excelente resultado en las primarias al Parlamento Europeo y encabezaba, junto a Miguel Urbán, la corriente anticapitalista enfrentada a Iglesias en el primer congreso de Podemos. La CUT entró en descomposición, con parte de sus cuadros migrando hacia Podemos, y poco después formalizaría su ruptura con IU. Otras figuras provenientes del PA, como José Luis Serrano o Antonio Manuel Rodríguez, se incorporaron a Podemos Andalucía a título individual. Las listas para las elecciones del 20D, elaboradas desde Madrid bajo el prisma de la creciente disputa interna entre pablistas y errejonistas, acabarían marginando tanto a unos como a otros. Pero no adelantemos acontecimientos y quedémonos con lo esencial: en 2015 no existía ningún actor político andalucista capaz de negociar con Podemos una confluencia plurinacional equivalente a la catalana, la gallega o la valenciana.

* * *

Volvamos a un momento anterior, el 20 de marzo de 2015. En el velódromo de Dos Hermanas (Sevilla) unas 15.000 personas asisten al cierre de campaña de Podemos Andalucía. Los Millonarios, la comparsa de Juan Carlos Aragón que acaba de coronarse como ganadora del carnaval gaditano, atruenan el inmenso recinto disfrazados de mendigos y cantando: «Llegó la hora de echarlos de aquí con millones de votos / que el miedo cambie de bando y acabe la escoria de este país / igual que nosotros». Cuando Teresa Rodríguez sube al escenario, su saludo se ve interrumpido por miles de voces que espontáneamente empiezan a cantar el himno y a dar vivas a Andalucía libre. Su discurso está lleno de referencias a la emigración, a los desahucios, al desempleo, a la corrupción de socialistas y populares, a la emergencia social que vive Andalucía... En unas elecciones en las que Susana Díaz ha ridiculizado al movimiento 15M como «unos jóvenes que querían su casita en la playa», Teresa Rodríguez lo equipara a las movilizaciones del 4 de diciembre, que los malos gobiernos han congelado en una foto en blanco y negro, y concluye: «Podemos nació para recuperar ese impulso viejo y digno, para regar aquellos sueños y colorear aquellas fotos».

Mucha gente con la que he hablado recuerda aquel día como el momento más emocionante de su trayectoria política. La campaña del 22M es una sucesión de mítines multitudinarios que desembocan en ese velódromo abarrotado y eufórico. Si apenas un año antes las encuestas nos daban uno o dos eurodiputados y sacamos cinco, ¿qué no seríamos capaces de lograr en un momento en que el CIS nos otorga veintiún escaños en el Parlamento andaluz? Dos días más tarde, los resultados electorales son un jarro de agua fría. Algo más de 590 000 votos y quince escaños saben a poco frente a los cuarenta y siete obtenidos por los socialistas que, no obstante, deberán buscar acuerdos para gobernar.

Decía antes que, además de lo ciudadano y lo plurinacional, había un tercer *lost in translation* en la adaptación de la hipótesis nacional-popular al ámbito español. Ese tercer problema es nuestro régimen parlamentario. La hipótesis nacional-popular —o mejor, digámoslo ya por economía del lenguaje y por precisión: la hipótesis populista— se basa en la construcción de una frontera política diferente a los tradicionales clivajes entre izquierda y derecha o entre centro y periferia: la que divide al pueblo de las élites. A los de abajo de los de arriba. Al 99% del 1% restante. A la *gente* de la *casta*. Esta concepción schmittiana de lo político como una relación determinada por la distinción *amigo-enemigo* es fácilmente implementable en regímenes presidencialistas que, por su propia lógica electoral, permiten rápidos asaltos al poder por parte de *outsiders*. En Europa, sin embargo, los regímenes parlamentarios, por mucho que estén sujetos a mutaciones presidencialistas y crisis de representación, dificultan seriamente el éxito de una hipótesis populista «pura» dada la permanente necesidad de alcanzar acuerdos con otras fuerzas políticas para la formación y sostenimiento de cualquier gobierno. Reafirmándome en la necesidad de encontrar explicaciones políticas y no personalistas al fracaso de Podemos, considero que es aquí donde debemos buscar las razones de aquellos primeros conflictos internos que acabarían desgajando Podemos.

Susana Díaz buscaba apoyos para su investidura, y en Podemos Andalucía no se lo queríamos poner fácil: presentamos un documento con quince condiciones que incluían la paralización inmediata de los desahucios, la auditoría ciudadana de las cuentas públicas, la readmisión de docentes despedidos... Propuestas que, por lo general, los socialistas se negaban a debatir. La primera sesión de investidura fue un fracaso para Díaz. Se trataba, sin embargo, de una negociación completamente mediatizada por las elecciones autonómicas y municipales que iban a tener lugar semanas después en toda España, y en Madrid preocupaba que nuestra negativa a Díaz pasara factura. Algunas encuestas señalaban que más del 70% de nuestro electorado prefería dejar gobernar a los socialistas antes que repetir elecciones. De modo que empezaron las fricciones, primero entre la dirección andaluza y la estatal, y más tarde dentro de la propia dirección andaluza, en la que Teresa Rodríguez ostentaba la Secretaría General pero no disponía de una mayoría de adeptos: el adelanto electoral decretado en enero había obligado a oficialistas y anticapitalistas, que acababan de enfrentarse a cara de perro en varias primarias, a cerrar de urgencia tal acuerdo de cara a la elaboración de las listas electorales y la conformación del Consejo Ciudadano Andaluz.

Las fricciones seguirían ahí, pero el problema de la investidura se solucionaría en breve. Pronto descubrimos que Susana Díaz, a diferencia de otros líderes socialistas que intentaban emular a Podemos y disputarle el voto juvenil e indignado, prefería afianzarse en un electorado conservador, centrista y envejecido, al tiempo que iniciaba una estrategia de demonización de la nueva formación como una fuerza irresponsable, extremista, arcaica, antiespañola, reproduciendo forzadamente aquel marco del consenso andaluz que hacía aguas desde hacía años. Cuando la presidenta acusó a Teresa Rodríguez de seguir «el modelo de Sánchez Gordillo y Cañamero» dejó claro que no le preocupaba una izquierda exótica y marginal, sino una capaz de disputarle esa identidad hegemónica de Andalucía construida sobre la negación del subdesarrollo que explicamos en el capítulo anterior. Sabiendo que el PSOE andaluz que había heredado tenía serios problemas para competir en las nuevas coordenadas post 15M, Díaz dio por perdida una parte significativa del electorado progresista —la juventud de la generación perdida— y se centró en mantener un perfil atractivo para el electorado conservador a fin de mantener Andalucía como feudo socialista durante lo que preveía como un largo período de Gobierno del PP en Madrid. Esta estrategia iba más allá de lo discursivo y se empeñaba en crear un cordón sanitario en las instituciones para impedir que Podemos pudiera llevar a buen término una sola de sus propuestas. Y el primer paso para ello era ignorar a Podemos y lograr el apoyo de Ciudadanos para su investidura, cosa que consiguió en junio de 2015.

Las elecciones generales del 20D no permitieron el «asalto a los cielos» prometido por Iglesias un año atrás, pero dejaron aun así un resultado impresionante para una formación política con menos de dos años de vida. Podemos y sus confluencias plurinacionales, con cinco millones de votos, fueron primera fuerza en Cataluña y Euskadi y segunda en Madrid, Galicia, País Valenciano, Baleares, Canarias y Navarra. La interpretación «oficial» de estos resultados, de nuevo a cargo de Errejón, subrayaba que «en media España el cambio ya está ganando y el tablero político ha cambiado de forma drástica —entre los jóvenes y adultos jóvenes, en las grandes ciudades y zonas más densamente pobladas y dinámicas y en las periferias [...] mientras que para otra media el 20D supuso un importante temblor que no fue capaz de alterar los equilibrios entre las fuerzas tradicionales— en el interior, entre la población de edad más avanzada y en el medio rural». En definitiva, Podemos era la fuerza del dinamismo, de la juventud y del futuro frente a la España envejecida, rural y apegada al pasado de Mariano Rajoy, superando al PSOE en casi todas las periferias y casi todas las grandes ciudades. Ese «casi» se debía a Andalucía, donde el PSOE adelantaba a Podemos en más de 600 000 votos.

Sin Andalucía no se puede, titulaba su respuesta a Errejón el colectivo andalucista Paralelo 36°[4], en la que desmentían tanto la hipótesis demográfica de una Andalucía envejecida y rural —de hecho, tiene una media de edad menor y de población urbana superior a la española—, como la hipótesis histórica de que los cambios políticos siempre se han impulsado desde los centros urbanos. El artículo criticaba consecuentemente la incomprensión de Podemos del medio rural andaluz y el olvido de Andalucía en su propuesta plurinacional. Yo, que ya había discutido privadamente con Errejón algunos matices de su análisis, presenté mi propio análisis en respuesta a ambos bajo el título de *Abrir brecha en*

---

4 GONZÁLEZ DE MOLINA, Manuel, SOTO, David y HERRERA, Antonio, «Sin Andalucía no se puede», *Paralelo 36°*, 4 de febrero de 2016, consultable en https://www.paralelo36andalucia.com/wp-content/2016/02/Andaluc%c3%ada-es-la-clave-v3.pdf.

Andalucía[5] —una versión *light* del documento que presenté ante el Consejo Ciudadano Andaluz del que formaba parte—. En él constataba la veracidad de los desmentidos de Paralelo 36°, pero también señalaba que la verdadera excepcionalidad andaluza no se debía a la debilidad de Podemos en zonas rurales —común en todo el Estado—, sino en las urbanas. De las veinticinco mayores ciudades de España, Podemos aventajaba al PSOE en diecisiete. Entre las ocho restantes se encontraban Sevilla, Málaga, Córdoba, Granada y Jerez. Ese era el problema a resolver. Y sugería dos posibles interpretaciones: la ausencia de referentes morados en el ámbito municipal andaluz —con la sola excepción de Cádiz— y la ausencia de un discurso andalucista propio capaz de encajar en la propuesta plurinacional. Y es que, a lo largo de su corta vida, Podemos Andalucía había oscilado «entre la estatalización de su discurso y la mímesis del relato de la izquierda nacionalista». A mi entender, si queríamos disputar al PSOE la representación de los intereses de Andalucía y a la vez completar con éxito la propuesta plurinacional para España, necesitábamos un andalucismo del siglo XXI alejado tanto del autonomismo autocomplaciente del PSOE como del «modelo de Gordillo y Cañamero» en que nos quería arrinconar Susana Díaz. Un *nuevo andalucismo* que yo concebía, claro, desde un planteamiento nacional-popular que encajaba mucho mejor con la realidad andaluza —por el mayor peso de lo popular/comunitario y por el consenso en torno a sus símbolos y referentes culturales— que con la española.

Solo había un pequeño obstáculo a la hora de emprender esa inmensa labor ideológica: que Podemos estaba en llamas. La derrota del 20D agudizó todas las tensiones entre facciones del partido, principalmente a cuenta del debate —una vez más volvía el problema parlamentario— sobre si debía investirse a Pedro Sánchez o marchar a nuevas elecciones en coalición con Izquierda Unida. Andalucía también estaba atravesada por este debate, pero además

5 JURADO, Jesús, «Abrir brecha en Andalucía», *eldiario.es*, 27 de febrero de 2016, consultable en https://www.eldiario.es/andalucia/en-abierto/abrir-brecha-andalucia_132_4133679.html.

se superponía al conflicto que habían generado unas listas electorales negociadas en Madrid por la Secretaría de Organización, en manos del *errejonista* sevillano Sergio Pascual, con la Secretaría General del partido —con Iglesias, vaya—. Pascual colocó a sus afines sevillanos, desplazando a los candidatos locales elegidos en primarias, en los puestos de salida de Málaga, Almería y Córdoba; en tanto que Iglesias hizo lo propio con Huelva. Por su parte, la CUT consiguió, gracias al apoyo de Iglesias y Teresa Rodríguez, colocar como cabeza de lista por Jaén al sindicalista Andrés Bódalo, si bien no alcanzó votos suficientes para lograr el escaño.

Mientras analizábamos y discutíamos los resultados del 20D, las encuestas constataban que Podemos tenía un serio problema en Andalucía. En febrero de 2016, el Estudio General de Opinión Pública de Andalucía (EGOPA) confirmaba el éxito de la estrategia de demonización de Podemos ensayada por Susana Díaz. Sus enfrentamientos con Teresa Rodríguez y Pablo Iglesias iban más allá del simple desacuerdo político, definiendo Podemos como una opción política no solo antiespañola sino especialmente *antiandaluza*, forzosamente ajena a nuestra identidad, teledirigida desde cualquier otra parte, incompatible con nuestra cultura y por tanto amenazadora de nuestras instituciones. Consecuentemente, los andaluces no solo ubicaban a Podemos en la extrema izquierda, sino que a la vez lo consideraban un partido menos andalucista que Ciudadanos. Solo el PP estaba ligeramente por debajo de Podemos en lo que a identidad andaluza se refiere. Susana, además, parecía estar logrando su objetivo de disputar el voto conservador, reteniendo para las autonómicas a casi una cuarta parte del electorado andaluz de Rajoy.

Todo ello condujo a serias discusiones dentro de la dirección de Podemos Andalucía sobre la necesidad de un subgrupo andaluz en el grupo confederal del Congreso y la forma de confluir con Izquierda Unida de cara a la repetición electoral prevista para el 26 de junio de 2016, una vez comprobado que ni Sánchez ni Rajoy obtendrían los apoyos necesarios. Me gustaría poder contar grandes debates con ponencias estructuradas y conclusiones claras, pero no fue el caso. La interna era como un molesto ruido de fondo, un clima paranoide que nos impedía discutir nada con honestidad; todo se interpretaba en función del emisor, buscando intenciones deshonestas y conspiraciones a cada paso. Teóricamente, por ejemplo, todos coincidíamos en exigir un subgrupo andaluz en el Congreso, pero los anticapitalistas recelaban de que ese subgrupo se empleara para facilitar la abstención al PSOE y los oficialistas recelábamos de que Rodríguez quisiera arrogarse el control de los diputados. Y es que la paranoia no era del todo infundada: en marzo de 2016, la dimisión de buena parte de la ejecutiva madrileña condujo al cese de Pascual como secretario de organización y al inicio de una guerra fría entre errejonistas y pablistas en todo el partido. En Andalucía, la parte del Consejo más afín a Pascual conspiraba y difamaba cuanto podía para debilitar el liderazgo de Rodríguez; otros errejonistas la defendíamos como líder andaluza —¿qué populista despreciaría un liderazgo carismático como el suyo?—, pero su militancia anticapitalista nos hacía desconfiar permanentemente de si sus propuestas las tomaba en interés de Andalucía o de su propia facción; los anticapitalistas, mientras tanto, afilaban ya los cuchillos para, en alianza con Iglesias, expulsar a los errejonistas de cualquier cargo de responsabilidad.

Lo más triste de esta negra etapa no fue ver medrar a verdaderos incompetentes: desgraciadamente esa suele ser la tónica en cualquier universidad, trabajo o institución. No, lo peor fue —y sigue siendo— ver a personas valiosísimas y a las que admiraba envilecerse hasta convertirse en parodias de sí mismas. En seres serviles, cegados por el odio y el miedo al adversario interno. Imagino que también a mí mucha gente acabaría viéndome así. Siempre llega un momento en que estas personas tocan fondo, entonces se marchan e intentan recuperar sus vidas anteriores con una sensación de vergüenza y hastío; hasta tal punto una estructura perversa basada en la competición sin cuartel acaba destrozando a quienes se atreven a participar en ella para intentar transformarla.

Hubo dignos intentos de superar esta dinámica faccional que merecen reconocimiento. José Luis Serrano, jurista y diputado por

Granada proveniente del PA, fue el primero en articular desde sus intervenciones parlamentarias, artículos y documentos una propuesta de andalucismo federal y plurinacional que acabaría siendo asumida por todos[6]. Pero nada escapaba a la interna. Una víctima colateral de la guerra fría entre pablistas y errejonistas a nivel estatal fue Antonio Manuel Rodríguez, destacado activista contra los desahucios y las inmatriculaciones de la Iglesia proveniente, como Serrano, del andalucismo político. Su desplazamiento como candidato por Córdoba en favor de uno de los afines a Pascual generó una potente ola de apoyos y fuertes conflictos dentro del partido. La marginación de Antonio Manuel y el repentino fallecimiento de José Luis Serrano, pocos meses más tarde, pusieron fin al intento de uno de los sectores del extinto PA de construir andalucismo *dentro* de Podemos. Un andalucismo que tal vez hubiera servido como pegamento para un partido que marchaba a toda velocidad hacia la guerra civil.

En ese clima tuvo lugar la confluencia electoral con Izquierda Unida a nivel estatal, sellada en el famoso *Pacto de los botellines* —de Mahou, claro— entre Iglesias y Garzón. Incapaz de ponerse de acuerdo, la dirección andaluza de Podemos contempló cómo IU se quedaba con buena parte de los puestos de salida en una comunidad autónoma en la que no habían obtenido un solo diputado en las pasadas elecciones. El único premio de consolación fue el derecho a emplear en la papeleta, tras el nombre de «Unidos Podemos», la coletilla «por Andalucía». Esta sutilísima marca propia no era, ni de lejos, una confluencia plurinacional equivalente a la gallega o la catalana, pero sirvió como excusa para alcanzar un acuerdo de confluencia con Izquierda Andalucista, uno de los pequeños partidos nacidos de la descomposición del PA, que colocó en las listas

6 Un buen resumen se encuentra en SERRANO, José Luis y RODRÍGUEZ, Teresa, «Hablemos de federalismo, hablemos de Andalucía», *eldiario.es,* 30 de noviembre de 2015, disponible en https://www.eldiario.es/andalucia/en-abierto/hablemos-federalismo-hablemos-andalucia_132_2333708.html .
Para profundizar más en la propuesta federal de Serrano es asimismo clave la obra de su discípulo PÉREZ TRUJILLANO, Rubén, *Andalucía y reforma constitucional*, Almuzara, 2017.

sevillanas al Senado a su líder, la cineasta Pilar Távora. Por otro lado, Cañamero se convirtió en el cabeza de lista por Jaén, si bien su participación, como la del resto de militantes de la CUT, fue a título individual por la repentina hostilidad de Sánchez Gordillo contra Podemos.

Lejos de lograr el deseado *sorpasso* al PSOE, la coalición de Unidos Podemos perdió el 26J un millón de votos respecto a los resultados obtenidos separadamente por Podemos e IU seis meses atrás. Las tensiones sobre la posición a adoptar en la investidura se redoblaron, atajándose repentinamente por la implosión del PSOE. En un aparatoso golpe palaciego, Susana Díaz apartó fulminantemente a Pedro Sánchez de la Secretaría General con el fin de forzar el apoyo de los diputados socialistas al Partido Popular. Después de mil vicisitudes, Rajoy volvía a ser investido presidente en octubre de 2016, poniendo fin al largo ciclo electoral iniciado en mayo de 2014.

* * *

Ya va siendo hora de volver a la escena inicial del capítulo, a esa noche de conciertos en la Universidad de Verano de septiembre de 2016. Pocos días antes se ha hecho pública la candidatura conjunta de Rita Maestre y Tania Sánchez a la dirección madrileña de Podemos, amenazando la posición de Iglesias, que se refugia en una alianza con sus antiguos adversarios de anticapitalistas. Viendo venir el desastre con mis propios ojos en Madrid, hago cuanto puedo para poner un cortafuegos en Despeñaperros y reducir las tensiones en Andalucía, defendiendo la continuidad del Consejo existente contra los ataques de unos pascualistas decididos a la guerra total. Pero es en balde. Teresa Rodríguez decide disolver el Consejo andaluz y convocar unas primarias para el mismo día que están previstas en Madrid. Los intentos de lograr una candidatura conjunta basada en un «consenso andalucista» a fin de superar el bloqueo y la guerra faccional del anterior Consejo son infructuosos. Es ahí donde se enmarca el mensaje de Teresa que apuntaba al inicio del capítulo. Ella creía que el andalucismo nacional-popular era una mera estrategia de supervivencia del errejonismo y prefirió confiar en la gente de Iglesias para afianzar su autonomía como líder andaluza. Podría añadir un «*spoiler*: sale mal», pero estoy intentando ser lo más aséptico posible.

Las primarias de Podemos Andalucía tuvieron lugar el 11 de noviembre de 2016. En último lugar, con algo más del 9% de los votos, estaba la candidatura de Begoña Gutiérrez y Sergio Pascual, que agrupaba a los más hostiles contra Rodríguez. A continuación, con un 10% de los apoyos, la candidatura de Carmen Lizárraga, construida en torno a una difusa idea de andalucismo conciliador y el legado de José Luis Serrano, en cuya campaña me volqué personalmente. Y arrasando con más del 80% de los votos, el proyecto de Teresa Rodríguez apoyado por Iglesias y denominado *Por una Marea Andaluza*. El propio nombre ya evocaba su objetivo: la plena autonomía de Podemos Andalucía para constituir una confluencia plurinacional con IU y otras fuerzas políticas. No iba a ser un camino fácil, pero tampoco me tocaba ya recorrerlo a mí. Cesado como jefe de argumentario de Podemos Andalucía, no me quedaba responsabilidad orgánica alguna en el partido que había contribuido a fundar. Seguí trabajando en la Secretaría Política estatal, que tras la segunda Asamblea Ciudadana de Podemos en que Errejón fue finalmente derrotado por Iglesias pasó a ser una Secretaría de Análisis Estratégico vaciada de funciones. En fin, que dejé de ser un militante para convertirme en un técnico asalariado. Y como tal fui despedido poco tiempo después.

Quisiera yo renegar de este mundo por entero, cantaba por peteneras la Niña de los Peines. A menudo quisiera, yo también, renegar por entero de las miserias que he contado, pero vuelvo a ver las imágenes del velódromo y me emociono igualmente, incluso sabiendo todo lo que vendría después. Hoy haría muchas cosas de forma diferente, pero no puedo arrepentirme de todo lo vivido. Fue en Podemos donde los andaluces de la generación perdida aprendimos a soñar con victorias, a celebrar algunas pocas, a llorar amargamente en noches electorales. Donde descubrimos el potencial político de unas emociones compartidas que hasta entonces solo habíamos sentido en conciertos, en partidos de fútbol o ante el paso majestuoso de un Cristo o una Virgen. Donde creímos, como Juan Carlos Aragón, en *la comunión de la gente cantando* más allá de los carnavales. Donde exploramos otros significados de la palabra *patria* diferentes a los que habíamos visto en las entradas a las casas cuartel y a los que habíamos escuchado en las letras de La Polla Records. Donde nos chocamos, también, con la incomprensión y la negación centralista de nuestro derecho a tomar nuestras propias decisiones como andaluzas y andaluces, es decir, como nacionalidad autónoma. Quienes desde el equipo de argumentario del partido afirmábamos por entonces que el Gobierno de Rajoy era una «fábrica de independentistas» leímos años más tarde que «Podemos Andalucía ha sido una máquina de fabricar andalucistas»[7]. Y no pudimos más que darle la razón.

* * *

Mírame bien, cantaba la Gata en el concierto con el que iniciaba este capítulo...

(pero yo no miré. Los errejonistas siempre estábamos hablando de «los dos carriles»: el carril corto de la disputa electoral y el carril largo de la batalla cultural, que era el verdaderamente importante. En la práctica, el primero absorbía el 100% de nuestras energías. Por eso no miré a la Gata, como no miramos con atención todos los fenómenos culturales que se estaban dando en estos años plagados de elecciones y que analizaremos más adelante)

...mis llantos son de to' menos estériles / lo dejo escrito por si acaso pa' las efemérides. La RAE incluye como tercera acepción de efemérides, en femenino plural, «libro o comentario en que se refieren los hechos de cada día». Este capítulo —este libro, en

7 GARCÍA FERNÁNDEZ, Javier "Una sociología de los andalucismos en Podemos: un (re)cuento de fracasos y desencuentros", *El Salto*, 2020. Consultable en https://www.elsaltodiario.com/pensar-jondo-descolonizando-andalucia/una-sociologia-de-los-andalucismos-en-podemos-un-(re)cuento-de-fracasos-y-desencuentros.

realidad— podría ciertamente ser un pastiche de mis particulares efemérides: los historiales de Telegram, la carpeta de *enviados* de mi correo electrónico, los borradores de artículos en el Drive... Pero la canción se estaba refiriendo a las otras acepciones de efeméride: «acontecimiento notable que se recuerda en cualquier aniversario de él» o «conmemoración de una efeméride en su aniversario». Diría que ninguna de las fechas que he mencionado en este capítulo encajan en esa definición. Casi nadie recuerda, ni mucho menos conmemora, las elecciones del 22 de marzo, del 20 de diciembre de 2015 ni del 26 de junio de 2016. Menos aún las primarias andaluzas del 11 de noviembre que me privaron de disfrutar el concierto de Gata Cattana. En cambio, el 4 de marzo de 2017, el día de su prematuro fallecimiento, es cada año conmemorado por miles de personas que vuelven a hacerla tendencia en Twitter, a recordar sus versos, a escuchar sus canciones, a pintar su rostro por las calles, a pensar cuánto hubiera hecho desde entonces y qué estaría haciendo ahora. Será que para ganarte una efeméride debes *merecerte la vida hasta tal punto / que tu muerte parezca una injusticia*[8]. Y así lo hizo Ana Isabel García Llorente, más conocida como Gata Cattana.

8 Versos del poema «Tu oficio, poeta» recogidos en CATTANA, Gata, *La escala de Mohs*, Aguilar, 2019.

Make Spain Al-Ándalus again

Meme publicado en la página de Glorious Andalusian Emirates Memes, 2017

Fundación Tres Culturas del Mediterráneo, Sevilla. Otoño de 2010. Otra vez estamos en la Cartuja, en el viejo recinto de la Expo. Concretamente en el antiguo pabellón de Marruecos, donde desarrolla su actividad una fundación creada por la Junta de Andalucía y el reino alauí en 1999, a la que después se sumaron la Autoridad Nacional Palestina y varias instituciones israelíes. Allí se imparten algunos de los módulos del máster de Relaciones Internacionales que estudio.

En la pizarra hay dos frases escritas. Arriba, en latín, *In nomine Dei, non Deus nisi Deus*. Debajo, una frase en árabe, que es señalada por el profesor: «¿Alguien sabe qué pone aquí?». Un compañero marroquí levanta la mano: «Es la *shahada*, la profesión de fe de un musulmán: *bismi-l-lah, la ilaha ila-Allah*: en el nombre de Dios, no hay más dios que Dios». «Exactamente lo mismo que pone arriba», nos aclara el profesor a quienes, como yo, hemos olvidado casi todo el latín aprendido en Bachillerato. «Lo interesante —continúa el profesor— es que son el anverso y el reverso de la misma moneda, la primera acuñada en Al-Ándalus a principios del siglo VIII». A continuación comienza una densa explicación teológica e histórica sobre el concilio de Nicea y la negativa de los arrianos a asumir el dogma de la Santísima Trinidad, la asociación entre la resistencia religiosa al dogma y la resistencia política al propio Imperio Bizantino y cómo ese conflicto tuvo en la Península Ibérica sus resonancias en las guerras civiles visigodas... «*Non Deus nisi Deus* era, ante todo, el lema arriano, el credo que seguía siendo mayoritario en la España del siglo VIII», concluye, «lo único novedoso en esta moneda es que, por primera vez, dicho lema empieza a escribirse en árabe». En resumen, el profesor nos plantea un enfoque diferente a la hora de comprender el origen del islam y el medievo español: abandonar el mito de la conquista islámica en 711 y centrarnos en la propia evolución teológica, cultural y lingüística de la península desde una perspectiva endógena.

Salgo de clase con la cabeza algo aturdida. Siempre me ha interesado la Historia, y en general se puede decir que la he estudiado bastante. Y claro que comparto las críticas al concepto decimonónico y nacionalcatólico de Reconquista. Pero, ¿negar la invasión de 711? Eso sí que pondría todo patas arriba. Investigo sobre el profesor y encuentro algún libro suyo en la biblioteca. Es demasiado largo para leerlo en un par de semanas de préstamo, así que después de ojearlo unos días lo dejo apuntado para futuras compras.

Pero los másteres se parecen demasiado a un menú degustación en el que apenas saboreas, una tras otra, una multitud de originales propuestas. De modo que la semana siguiente pasamos a otras materias: comercio internacional, derecho comunitario, economía ecológica... Esas clases de historia medieval se quedan ahí, en el desván de mi memoria, cogiendo polvo durante varios años de trabajo precario, activismo, salto a la política y hartazgo de la misma. Hasta que, inesperadamente, unos memes las sacan del recuerdo.

* * *

«La corte es como una sala llena de humo: todos salen llorando», escribió un poeta andalusí, y sus palabras siguen siendo veraces 1000 años después. Mi etapa en Podemos, como adelanté en el capítulo anterior, terminó abruptamente tanto en lo político como en lo profesional: conversar privadamente en Telegram sobre el nuevo chalé de Iglesias y Montero me costó una fulminante expulsión, camuflada como «despido objetivo por circunstancias de la producción» —algo que posteriormente se corregiría en un juzgado—. En realidad, llevaba tanto tiempo esperando ese momento que dejar Podemos solo me causó alivio. Y así, más de ocho años después de acabar la carrera, recuperé la que originalmente había sido mi primera opción como salida laboral, frustrada durante los largos años de austeridad y recortes: estudiar una oposición. Cambié los informes de prensa y redes por los apuntes, los argumentarios por las leyes, los pasillos del Congreso por las aulas de la academia, el sinvivir de las campañas por la rutina del estudio.

Abandonar la asesoría política, aunque fuese para estudiar, me liberó muchísimo tiempo y atención para la lectura, la música, las series, las escapadas a Málaga, las conversaciones con amigos... La vida normal, vaya. Y ahí empecé a conocer más a fondo muchos fenómenos que estaban surgiendo en Andalucía y a los que había prestado poca atención. Ya fuera en la música, en lo audiovisual, en la literatura, en el diseño gráfico o en las redes sociales, eran artistas andaluces los que estaban colocándose en la vanguardia del Estado con producción muy ligada a su territorio y a la relectura de la tradición. No era solo la Gata, cuya fama e influencia no dejó de crecer desde su muerte prematura: del Albayzin nacían el rap de Ayax y Prok y el trap de Yung Beef, el flamenco se renovaba con voces como las de Rocío Márquez, Rosario La Tremendita o María José Llergo, en los festivales arrasaba la experimentación audiovisual cargada de crítica social y política de Los Voluble, el mundo literario se agitaba con las provocaciones de la escritora granadina Cristina Morales. El producto andaluz estaba de moda, pero ese éxito, paradójicamente, parecía agudizar todos los prejuicios contra Andalucía. *La Peste*, un thriller histórico ambientado en la Sevilla del siglo XVI y dirigido por el sevillano Alberto Rodríguez, era la gran apuesta internacional de Movistar+, la serie más ambiciosa y con mayor presupuesto de la historia de España. A pesar de ello, su lanzamiento estuvo marcado por una avalancha de críticas en redes y suplementos culturales porque sus protagonistas hablaban andaluz con tanta naturalidad que «no se les entendía nada». Poner subtítulos era perfectamente asumible, incluso chic, a la hora de ver *The Wire* o *Juego de Tronos*, pero suponía una inmensa ofensa sugerirlo para ver una serie andaluza. Escribí por entonces —aunque, como de costumbre, firmase otra persona— que «los mismos espectadores que crecieron viendo a la Juani, el Pozi o los Cuñaos, que se rieron con *Ocho apellidos vascos* y ven cada semana *Allí abajo* se quedaron atónitos al escuchar en andaluz una historia que poco tenía que ver con el humor y el folklore»[1]. Porque nadie se espanta por escuchar un acento andaluz en una canción o un chiste, pero tuerce el gesto si se emplea para discutir, como en *La Peste*, sobre teología, corrupción, historia, poder y desigualdad.

Lejos de amilanarse por las críticas a su habla, la juventud andaluza iniciaba aquellos años un *boom* identitario. En redes sociales se viralizaban los monólogos y columnas marcadamente andalucistas de Manu Sánchez y florecían como setas las cuentas dedicadas a defender la identidad y la cultura andaluzas, especialmente a través de los memes humorísticos[2]. En enero de 2018, se estrenaba en Twitter MALACARA, una cuenta de humor en la que la imagen de cualquier personaje popular o de actualidad se acompañaba de *andalusian quotes*: ocurrentes frases transcritas en espontáneo sevillano y letras mayúsculas. Otra de las más destacadas era *Glorious Andalusian Emirates*, que simulaba emitir sus publicaciones desde el Al-Ándalus del siglo XI y que fue la primera en popularizar el término *mesetarian* para referirse a «las élites político militares que nos hacen la guerra desde el año 722 [...] y todas aquellas personas, independientemente de su lugar de nacimiento, [que] actúan de igual forma que la antigua y presente élite que manda en los países de la península»[3]. Una treintena de estas cuentas fundan en 2018 la *República*

---

1 LIZÁRRAGA, Carmen, «El efecto Despeñaperros», *eldiario.es*, 13 de julio de 2018, disponible en https://www.eldiario.es/andalucia/en-abierto/efecto-despenaperros_132_2023303.html.

2 LEÓN, F. «Andalucía se mueve a ritmo de meme», *Cámara Cívica*, 25 de septiembre de 2018, disponible en https://www.camaracivica.com/analisis-politico/andalucia-se-mueve-a-ritmo-de-meme/.

3 «Uso del término mesetarian», texto publicado originalmente en la página de Facebook de Glorious Andalusian Emirates y conservado, después de su cierre, en el *subreddit* «La Banda del Sur» en el que se organizaban buena parte de esta

Memera Andaluza, un «colectivo plural, humorístico y combativo en defensa de la cultura andaluza» que combinaba referencias a la cultura de masas global, elementos de la cultura popular andaluza y contenido político contrahegemónico[4].

Más allá de lo virtual, en mayo de 2017 se había publicado en formato físico *Er Prinzipito*, una versión del clásico de Saint-Exupéry «en andaluz», o al menos en una forma de escritura andaluza propuesta por el «traductor» Huan Porrah. A raíz de ello, un grupo de «lingüistas, traductoras, conocedoras de la historia de las lenguas y hablantas particulares andaluzas»[5] comenzaron a elaborar en red una propuesta ortográfica integradora de la lengua andaluza en sus distintas variantes, que recibiría el nombre de «EPA» —unas siglas que se correspondían tanto con el grupo de Facebook en que trabajaban, llamado «Er Prinçipito Andaluh», como con su objetivo: una escritura «*Êttandâ Pal Andalûh*»—. Pronto algunos de los colectivos de la República Memera comenzaron a popularizar esta escritura en el mundo más friki; así como algunos grupos musicales como la FRAC y un por entonces desconocido colectivo de fusión electrónica llamado Califato ¾, que publica el 4 de diciembre de 2018 su primer EP, *L'ambôccá*. El mismo año surgía también Taifa, una marca de camisetas con diseños y mensajes inspirados en los memes andaluces, a menudo escritos en EPA. Algunos de las más exitosas rezaban «FCK RAE: habla bien, habla andalú», «De Dêppeñaperrô p'arriba ist alles Deutschland» o mi favorita, «ABDERRAMÁN: Make Andalusia Great Again», como remedo del cartel electoral de Donald Trump.

* * *

producción virtual. Consultable en https://www.reddit.com/r/LaBandaDelSur/comments/7qrr52/uso_del_t%C3%A9rmino_mesetarians_texto_en_castellano/.

4 RODRÍGUEZ, M. «Los memes como catalizador ideológico: la República Memera Andaluza», *Beers&Politics,* 28 de abril de 2019, disponible en https://beersandpolitics.com/los-memes-como-catalizador-ideologico-la-republica-memera-andaluza.

5 «EPA: ¿Qué es y por qué?» en la web oficial del colectivo https://andaluh.es/es/epa-2/.

No solo había camisetas, música y memes. O mejor dicho, toda esa creatividad se fundaba en hondas reflexiones sobre el dolor y los problemas de Andalucía. Especialmente de quienes más habían sufrido dentro del territorio más golpeado por la crisis: las mujeres jóvenes andaluzas. La periodista chiclanera Mar Gallego comenzó en 2016, en su blog personal, un proyecto titulado *Como vaya yo y lo encuentre. Feminismo andaluz y otras prendas que tú no veías*. Aquella *revolución de la hierbabuena* experimentada en las corralas empezaba a tomar forma teórica mediante la construcción del feminismo andaluz, una perspectiva interseccional centrada en las opresiones y resistencias propias de las andaluzas, especialmente las provenientes de contextos empobrecidos y/o rurales. Si la primera generación de universitarias andaluzas se empapó de feminismo en la academia para comprender los sufrimientos de sus madres y abuelas, pronto necesitó también reivindicar su identidad propia ante un feminismo hegemónico que nunca había mirado al sur. «El feminismo que yo había estudiado nunca habló de diferencias territoriales dentro del Estado español, pero lo cierto es que yo había experimentado un choque cultural en toda regla con esas formas de saber por ser andaluza [...]. Los libros nunca hablaban de que esas mujeres a las que despreciábamos como referentes feministas llenaban términos como *comare* o *vecina* de prácticas cotidianas de acompañamiento cargadas de ideología feminista», explica Gallego[6]. Comienza así todo un trabajo de investigación y difusión para poner en valor la tradición y los saberes populares de las mujeres andaluzas, para destacar la potencia feminista de las Corralas y otras luchas, para recuperar la imagen de las folclóricas antes denigradas como Marisol, Lola Flores o Rocío Jurado, para reivindicar también a andaluzas anónimas como Rosario, «esa vecina barbateña que ha pagado con su pensión [...] el nicho de Samuel, un niño africano que llegó muerto a su playa», y entender que «su recorrido y práctica es tan potente como los [referentes]

---

6 GALLEGO, M. *Como vaya yo y lo encuentre. Feminismo andaluz y otras prendas que tú no veías*, Libros.com, 2020; pp. 25-29.

que sí se consideran políticos» por parte de determinados feminismos. A Gallego pronto se suman otras comunicadoras que, en septiembre de 2017, fundan una revista que más bien pretende ser una «caja de herramientas, un costurero con todos los avíos para informar, formar y denunciar las violaciones de los derechos humanos, siendo un altavoz feminista y denuncia de prácticas y lenguaje sexista». La llaman *La Poderío*, que significa «el empoderamiento feminista en andaluz».

* * *

En esas andaba yo allá por 2018, explorando entre fascinado y divertido todo aquel resurgir andalucista en las redes sociales entre rato y rato de estudio. Había dejado Podemos, como decía antes y, por primera vez en muchos años, tampoco formaba ya parte de asamblea ni colectivo alguno. Sin embargo, mantenía el contacto y la amistad con muchos de mis antiguos compañeros y seguía con interés los movimientos políticos que se daban por entonces. El referéndum catalán del 1 de octubre y su implacable represión generaban una crisis territorial y política sin precedentes, la huelga del 8M marcaba un punto de inflexión en el movimiento feminista y el juicio de la Gürtel confirmaba al Partido Popular como organización criminal. Como colofón de todo aquello, el 1 de junio de 2018 la moción de censura de Pedro Sánchez puso fin a seis años de Gobierno de Rajoy que se habían hecho eternos. El mismo mes, Teresa Rodríguez presentaba junto a Antonio Maíllo, coordinador andaluz de Izquierda Unida, una coalición electoral que, aunque reproducía la alianza entre Podemos e IU a nivel estatal, integraba también a algunos restos del antiguo PA —encarnados en las organizaciones de Izquierda Andalucista y Primavera Andaluza, con Pilar Távora y Pilar González como referentes—, admitía la militancia de personas a título individual y creaba, por fin, una confluencia plurinacional en clave andaluza bajo el nombre de «Adelante». Parecía algo esperanzador: la anomalía de 2015, esa ausencia de Andalucía en el proyecto plurinacional, podía empezar a corregirse. Por si faltara algo, la firme oposición al proyecto de confluencia del aparato pablista, es decir, de la cúpula madrileña de Podemos, daba a la construcción de Adelante una épica territorial inesperada.

Fue en ese contexto cuando, desde foros informales donde se mezclaban los comentarios sobre actualidad política con las últimas novedades musicales o los memes más ingeniosos, algunos empezamos a fraguar la hipótesis de un nuevo andalucismo que expresase políticamente lo que ya empezábamos a percibir como un clima cultural propicio al resurgir de la identidad andaluza. Y a pensar en Adelante como la fuerza política capaz de encarnarlo. Había muchas dudas, claro. Qué me estáis contando de memes y camisetas, que esto es un partido serio, nos dirían algunos. Había que empezar a testar la hipótesis, a ir filtrando la idea en la prensa a modo de globo sonda. De ahí aquel reportaje de junio de 2018, que comentaba al inicio del libro, en el que mi amigo Sato se preguntaba si existía un nuevo andalucismo con una serie de entrevistas a los líderes de Adelante y otros referentes intelectuales de dicho espacio, trufadas de citas del Carnaval gaditano de aquel año. El politólogo Cristian Gracia citaba a Gata Cattana como referente de una nueva cultura crítica andaluza y constataba que «salen cada vez más grupos que podemos enmarcar en este ámbito, aunque no estamos al nivel de otros territorios». Por su parte, Antonio Manuel Rodríguez, el jurista y poeta cuyo breve acercamiento a Podemos se narró en el capítulo anterior, veía ya «un resurgimiento de la cultura joven andaluza» pero que solo sería «verdaderamente trascendente cuando se cargue de un contenido político». Teresa Rodríguez, en fin, confesaba su «absoluto entusiasmo» por «la proliferación en redes sociales de perfiles de humor y de reivindicación de lo andaluz que son absolutamente geniales» en referencia a los integrantes de la República Memera: «son lugares maravillosos en los que reconocernos, reírnos, indignarnos y emocionarnos juntas. Todo eso joven, fresco, genuinamente andaluz, vanguardista y hermoso que no suele aparecer en Canal Sur», concluía Tere.

En fin, el reportaje abría al público la pregunta que muchos nos hacíamos: ¿asistíamos a un resurgir, a una nueva ola de andalucismo? Pero las respuestas a esa pregunta eran todavía demasiado estadísticas, institucionales, políticas... Una frase de Cristian Gracia resumía bastante el estado de la cuestión: «tenemos rasgos culturales muy marcados, pensemos en el cante jondo, pero lo que define Andalucía realmente es la cuestión económica». Podría decirse que seguíamos anclados a esa *Nación del 37%* que contaba en el capítulo 2: una definición de Andalucía basada en la brecha que le separaba del resto del país y de Europa. Pero, si ser andaluz solo era una forma de ser pobre en España, ¿qué motivo había para sentirse orgulloso de ello? Y sin orgullo, ¿dónde encontrar la autoestima suficiente para plantear alternativas, salidas colectivas a esa situación de permanente desventaja? Construir un orgullo andaluz implicaba ahondar en nuestra identidad, en nuestra cultura, en nuestra historia, estaba claro. Como hacían los de la República Memera, por ejemplo. Vale, pero ¿no era demasiado esencialista esa obsesión con el esplendor andalusí, esa definición de Andalucía contra la meseta? ¿Y ese empeño en escribir el andaluz de una forma ininteligible? ¿Hasta qué punto era compatible esa retórica identitaria, historicista, hasta entonces marginal y vinculada a grupos independentistas, con el carácter hondamente materialista del andalucismo histórico? ¿Y con la idea consensual, vaciada de todo conflicto, del andalucismo hegemónico del PSOE? Y en todo caso, ¿qué demonios tenía que ver la denuncia del paro, la emigración o la corrupción con el Califato de Córdoba?

* * *

La reivindicación de lo andalusí en el movimiento memero no era un fenómeno aislado, sino que se enmarcaba en una cierta tendencia de relectura histórica. Y no era ajena a ella el profesor que impartía la clase con la que se iniciaba este capítulo. Emilio González Ferrín publicó en 2006 su *Historia General de Al Ándalus: Europa entre Oriente y Occidente*, una obra en la que se cuestionaba el relato oficial de la Edad Media española desde su origen hasta su final: ni habría existido una invasión islámica en 711 —más bien una progresiva orientalización e islamización endógena en la Península— ni la conquista castellana habría acabado en manera alguna con la cultura andalusí, sino que esta se había filtrado a la cultura europea desde el averroísmo hasta la diáspora sefardí pasando por la literatura española del Siglo de Oro[7]. En palabras de Ferrín, «la misma España que expulsó a judíos y moriscos ya llevaba a Al-Ándalus en su esencia». Se trataba, por tanto, de redefinir Al-Ándalus «no como un tiempo pasado, sino como un componente» de la propia identidad española y europea con el propósito de poner fin a una alienación histórica que nos impide comprendernos con plenitud. Asumir como propio todo aquello que los españoles vivimos *cuando fuimos árabes* —que no en vano es el título de otra de sus obras[8]—.

Unos años después, en 2010, Antonio Manuel Rodríguez publicaba *La huella morisca*[9], en la que de alguna forma se asumían parte de las tesis de Ferrín —la negación de esa caída de telón que, según los manuales de Historia, fue la expulsión de los moriscos de 1609— para reivindicar el peso oculto de lo morisco en la construcción de la identidad y cultura española, especialmente a través del flamenco. Antonio Manuel recuperaba así una de las ideas originales de Blas Infante: su concepción del flamenco como un arte heredero de la tradición arabo-andalusí, hasta el punto de que su nombre provendría etimológicamente de la fusión del sustantivo *fellah* ('campesino') y el adjetivo *menkub* ('desposeído, expropiado'). Esto es, que lo flamenco vendría a ser, literalmente, el arte de los jornaleros, del campesinado que desde la conquista había perdido la propiedad de la tierra en favor de la aristocracia invasora. Con esta hipótesis etimológica Infante había conseguido aunar en la teoría lo que siempre había perseguido en su propia práctica política: fusionar el regionalismo cultural centrado en el folklore y la historia con el pujante movimiento obrero en el campo andaluz. Dicha hipótesis nunca pudo demostrarse empíricamente, de hecho

7 GONZÁLEZ FERRÍN, E. *Historia General de Al Ándalus*, Almuzara, 2006.

8 GONZÁLEZ FERRÍN, E. *Cuando fuimos árabes*, Almuzara, 2018.

9 RODRIGUEZ RAMOS, A. M. *La huella morisca*, Almuzara, 2010.

más bien es considerada bastante débil por lingüistas e historiadores, pero sintetizó como pocas la singularidad del nacionalismo andaluz: una concepción de la identidad nacional no basada en características étnicas, lingüísticas, ni raciales, ni siquiera en un mito cívico ante la ausencia de institucionalidad propia desde la conquista, sino en una histórica lucha de clases entre el pueblo andaluz —encarnado en la entonces mayoritaria población jornalera— y las élites extractivas que habían colonizado sus tierras[10]. «Campesinos andaluces: vuestra historia es la Historia de Andalucía», iniciaba su llamamiento la Asamblea andalucista de Córdoba (1919). Cuarenta años más tarde, el andalucismo de segunda ola, con la profunda impronta marxista propia de su década, llegó a conclusiones muy similares. En 1976, el dirigente del PSA Pepe Aumente, planteaba:

> [...] La propiedad y distribución de la tierra en Andalucía ha constituido la problemática de base en que ha centrado históricamente la estructura de la región. Nuestro subdesarrollo tiene [...] sus orígenes históricos en la conquista y forma de colonización por los reyes, nobleza y órdenes religiosas, a partir de la ocupación por Castilla [...]. La "idea de región andaluza" no está mediatizada u obstruida por unos condicionamientos étnicos o culturales, incluso lingüísticos, que impiden ver lo que, en definitiva, o en última instancia, constituye el núcleo del problema: la lucha de clases[11].

De alguna forma, las obras de Ferrín y Antonio Manuel —a las que podemos sumar, una serie de novelas históricas como las publicadas por José Luis Serrano— también respondían a necesidades de su presente. Eran los años de la Alianza de Civilizaciones impulsada

10 «Todo el republicanismo se afanó en construir y reconstruir la identidad colectiva mediante el uso de la historia y la memoria. Lo que parece mérito privativo de los andalucistas y en concreto de Infante es haber afrontado la tarea de, aparte de derribar lo que Furio Jesi calificó como "los mitos peculiares de los explotadores", alzar un "sistema mitológico" propio de la clase explotada con unos pilares originales que maridaban las desigualdades regional-nacionales y de clase para constituir un nuevo sujeto histórico: el pueblo andaluz». PÉREZ TRUJILLANO, R. «El andalucismo republicano fallido» en CLARET, J y FUSTER, J. *El regionalismo bien entendido: ambigüedades y límites del regionalismo en la España franquista*, Comares, 2021.

11 AUMENTE, J. *Regionalismo andaluz y lucha de clases*, Partido Socialista de Andalucía, 1976.

por Rodríguez Zapatero y de la Unión por el Mediterráneo promovida por Bruselas, tiempos en que se pretendía mejorar las relaciones españolas y europeas con el mundo árabo-musulmán para distanciarse de la belicosidad norteamericana en la región. Eran también los años dorados de la cooperación internacional de la Junta de Andalucía, especialmente centrada en Marruecos. Todo aquello quedó en el olvido con el estallido de la crisis económica, las primaveras árabes sanguinariamente reprimidas y el terremoto político del 15M. Sin embargo, desde entonces, esa relectura del pasado andalusí no dejó de ganar popularidad[12]. No era solo el fruto de una coyuntura internacional o institucional favorable.

Tradicionalmente se ha planteado[13] que el nacionalismo andaluz recurrió al pasado andalusí como referente histórico ante la imposibilidad de basar su legitimidad en la recuperación de una institucionalidad propia dentro de la Monarquía Hispánica —como sí hicieron el nacionalismo catalán con la *Generalitat* o el vasco con la cuestión foral—. También se han señalado las influencias recíprocas entre la ideología colonial/africanista y el *alandalusismo* de Infante[14]. En realidad, la reivindicación de *la España árabe* fue ya decisiva en Pi y Margall y en buena parte de la tradición repu-

12 Tampoco dejó de ganar enemigos. Me parece justo destacar también el trabajo realizado por muchos historiadores, algunos de ellos indudablemente progresistas, por desmentir muchos de los postulados de González Ferrín, especialmente en lo relativos a las evidencias históricas y arqueológicas de la invasión militar de 711. Para estos autores, los mitos nacionalcatólicos deben ser combatidos en base a la ciencia y la verdad histórica, no mediante la creación de una mitología alternativa. Véase, por ejemplo, GARCÍA SANJUAN, A. *La conquista islámica de la Península y la tergiversación del pasado: del catastrofismo al negacionismo*, Marcial Pons, 2013. Cabe en todo caso preguntarse, como se plantea Alba Rico en relación a la falsificación de los plomos del Sacromonte en el s. XVI, «qué clase de país es este en el que parte de la población tiene que falsificar la historia para poder caber en ella [...] no para justificar un crimen o un privilegio o una ceguera sino [...] su desnudo, elemental, raspado derecho a la existencia».

13 Véase, por ejemplo, DOMÉNECH, X. *Un haz de naciones. Estado y plurinacionalidad en España (1833-2017)*, Península, 2020.

14 CLAVERO, B. *Andalucismo institucionalizado entre colonialismo marroquí y nacionalismo español*, en Pasos a la izquierda, 2019; y CALDERWOOD, E. *Al Ándalus en Marruecos: El verdadero legado del colonialismo español en el Marruecos contemporáneo*, Almuzara, 2019.

blicana decimonónica —porque fue ese, y no otro, el contexto en el que se fraguó el andalucismo—. Era una pieza imprescindible a la hora de desatar el nudo entre identidad nacional e identidad religiosa que había nucleado la construcción nacional española. De neutralizar el rol de la Iglesia y la Monarquía como condición de partida para abrir paso a la construcción popular de la nación.

Tras la muerte de Franco, el «hecho diferencial» histórico de las naciones del norte fue decisivo en la construcción del estado autonómico. La misma Constitución reconoce a los derechos forales y a los «entes preautonómicos» como la *Generalitat* catalana una legitimidad anterior a su propia promulgación. Sin embargo, durante el período constituyente, Andalucía consiguió superar esta falta de pedigrí histórico gracias a su determinación y masiva movilización popular. Al no poder definirse como *nacionalidad histórica*, Andalucía se presentó como *nacionalidad del presente* en convulso proceso de construcción.

Cantamos en nuestro himno que «los andaluces queremos *volver a ser lo que fuimos:* hombres de luz que a los hombres almas de hombres les dimos», pero ese pasado idealizado está completamente por definir. Es un significante vacío que puede referirse tanto a la época de Averroes como a la del descubrimiento de América dependiendo del sujeto y del momento que lo enuncie. Incluso puede formularse de forma irónica, como hicieran en 1999 los *Yesterday* de Juan Carlos Aragón: «[...] lo que fuimos antiguamente: pobrecitos y vasallos, siervos de terratenientes y de chulos a caballo». Pérez Trujillano considera que ese indefinido «volver a ser lo que fuimos» es uno de los elementos del *imaginario ciudadano andaluz*, que siempre combina...

> «*La capacidad de representación de algo ausente, y deseable, que ya ha sido dado en la imaginación o la percepción históricas (como una especie de inconsciente colectivo sutilmente expresado en el himno); y la creación de algo que nunca ha existido pero se reputa como justo y, por tanto, deseado (la imaginación de un horizonte de derechos, si se quiere, utópico)*[15]».

15 PÉREZ TRUJILLANO, R. *Andalucía y reforma constitucional*, Almuzara, 2018.

Ese vacío, esa indefinición de lo pasado en la identidad andaluza es el objeto principal de *Las llaves de la memoria* (2016), un documental del director sevillano Jesús Armesto en el que la tesis de una joven universitaria sirve como hilo argumental para entrevistar a decenas de expertos que ahondan en la importancia de reconciliarnos con el pasado andalusí, reinterpretando nuestra historia a fin de encontrar las continuidades, negadas por el relato nacional español, entre nuestro Medievo, la Antigüedad clásica y la Modernidad; y acabando con una *extranjerización* de nuestro pasado que se hace patente en un fragmento del documental: en una clase de un instituto de Córdoba, Antonio Manuel pregunta a los chavales por Séneca o Lorca y le dicen que son andaluces, pero hace lo mismo con Averroes o Ibn Hazm y le responden que son *moros*, por mucho que él insista en lo andaluz de su nacimiento, vida y linaje.

¿Hasta qué punto el nuevo andalucismo que intuíamos estaba influenciado por esta tendencia de relectura histórica? En mi opinión, solo indirectamente. Me explico. A la crisis social y económica de 2008 le siguió una crisis política a partir de 2011 y una creciente crisis territorial que alcanzó su culmen el 1 de octubre de 2017. Como bien comprendió Podemos en sus inicios, las tres estaban profundamente entrelazadas: de ahí la propuesta plurinacional-popular que se explica en el capítulo anterior. Abordar los problemas de Andalucía y/en España iba más allá de pensar la forma de superar la brecha social y económica entre el norte y el sur de la Península. Implicaba repensar la propia idea de España y redefinir los valores compartidos que encarnaba, y ello pasaba por reformular sus mitos fundacionales, sus símbolos, su genealogía. Tal vez por eso, quienes proyectábamos una España alternativa más plural y cuidadosa con sus periferias, sentimos la necesidad de volver siglos atrás para encontrar «lo que ya ha sido dado en la imaginación histórica», como decía Trujillano. De la misma forma que en las Castillas renace el interés por la derrota comunera de 1521, que en Cataluña retornan las banderas negras con aspas blancas de 1714, que los municipalismos recuperan figuras del Sexenio Revolucionario como Salvochea o Pi y Margall;

en Andalucía tenemos que remontarnos más allá de la conquista castellana para imaginar una España en la que lo andaluz no fuese sinónimo de analfabetismo, subdesarrollo, pobreza y marginación, sino todo lo contrario. Porque hubo un —largo— tiempo, de la Hispania romana al esplendor del Califato, en el que la península ibérica tuvo su centro en lo que hoy llaman el sur.

No solo los andaluces sentimos esa necesidad de reconciliarnos con un pasado alienado. En su magistral *España*[16], Santi Alba Rico ahonda en las nefastas consecuencias del mito de la Reconquista como relato nacional y, a modo experimental, propone concebir el período andalusí «como una "resistencia" española frente a los bárbaros —visigodos residuales y francos extranjeros— en la que el limes romano es defendido, durante ocho siglos, por nativos convertidos al islam, mozárabes y judíos». Reconoce que sería tan «ideal e históricamente infundado» como el relato nacionalcatólico, pero al menos sería una fantasía «más heroica, popular y esperanzadora». Supongo que a Santi le gustará saber que, hace ya unos cuantos años, un puñado de chavales estaba sintetizando anticipadamente su propuesta en un meme con la imagen de Almanzor y la leyenda *Make Spain Al-Ándalus again*.

¿Le daban ese sentido sus autores o es todo esto una reconstrucción personal a posteriori para reforzar mis argumentos? Para no hacerme trampas al solitario decidí, mientras escribía estas páginas, preguntarle directamente a uno de los administradores de *Glorious Andalusian Emirates Memes*, la página de Facebook que, como conté antes, fue la primera en empezar a popularizar en redes sociales —con toda la ironía, hipérbole y descontextualización surreal propia de la gramática memera— una relectura integradora del pasado andalusí.

La entrevista me descubre un fascinante mundo de «batallas que no puedes encontrar en los mapas», como cantaba Kortatu. Todo comenzó, me cuenta el administrador, un 23 de febrero de 2017. Se acercaba el Día de Andalucía y, cansados de ver memes

16 ALBA RICO, S., *España*, Lengua de Trapo, 2021.

que reproducían los estereotipos del andaluz vago, inculto y desgraciado, un grupo de amigos que se conocían «del activismo digital» decidió montar una página en Facebook inspirada en *Prussian Memes*, una de las pioneras del movimiento de memes históricos, aunque ya existía alguna similar en Cataluña. En pocos meses superan los 25 000 seguidores y les imitan nuevas páginas del mismo tipo basadas en el reino de León, Portugal, Aragón, Extremadura... Un colega le plantea que sería buena idea sacar algo parecido basado en los clásicos de Canal Sur: así nace *Andalusian Shitposting*, otra de las páginas más populares del movimiento memero andaluz, aún en activo. Se multiplican también las cuentas de carácter local como la granaína *Lavín compae shitposting*.

Le pregunto por qué eligieron el imaginario andalusí y no, por ejemplo, el bandolero, y la respuesta es suficientemente elocuente: «Andalucía parece que siempre ha sido la última mierda. Por eso cogimos la etapa en que Córdoba rivalizaba con Bizancio a nivel cultural y en la que teníamos a los del resto de la Península *machacaos*». Coger a los bandoleros, me explica, hubiera sido abundar en el mito romántico de la pobreza y la picaresca. No conocían de nada a González Ferrín ni a Antonio Manuel —tampoco tiene hoy muy buena opinión de los libros de este último, «demasiado *invent*», me dice—, pero sí se documentaban a fondo para rescatar personajes olvidados, abordar distintas temáticas... Incluso crearon una página paralela de tipo divulgativo en la que profundizaban en los datos históricos en que se inspiraban sus creaciones.

Sus primeros seguidores eran entusiastas andalucistas, pero pronto le siguió mucha gente sin afinidad política definida. Incluso, me dice, gente del PP o Ciudadanos que disfrutaba de sus bromas contra los memeros medievales catalanes. Y es que, en el mundo de los memes históricos, tienen continuamente lugar guerras entre páginas en las que se lanzan pullazos unos a otros, formándose incluso grandes coaliciones internacionales. En teoría, en estos enfrentamientos se respetan unas reglas y se valoran, ante todo, como en las batallas de gallos del rap, la originalidad y la mejor ocurrencia. Siempre hay, no obstante, quien juega sucio y procura «tumbar la página» contraria mediante ataques informáticos o revelar la identidad de sus autores para acosarles y amenazarles hasta echarles de las redes. En aquel tiempo Vox apenas tenía un puñado de concejales en toda España, pero sus cachorros ya se movían como pez en el agua en las redes sociales. Siguiendo el ejemplo de las páginas de memes medievales de Polonia o Hungría, que habían dejado la ironía atrás y se habían convertido en verdaderos focos racistas contra la llegada de refugiados, los soldados digitales de la ultraderecha española se pusieron las pilas y entraron a fondo en la batalla por el relato histórico que se estaba dando de fondo, a menudo con las peores artes posibles. Y encontraron un aliado inesperado —o no tanto— en otra gente con escaso sentido del humor: el terrorismo yihadista.

Make Spain Al-Ándalus again es para mí una obra maestra del meme y un eslogan con infinitos significados posibles, hasta el punto de romper tabús y ampliar los límites de la imaginación política, como decía antes. Pero los fundamentalistas tienen la mala costumbre de interpretar los textos siempre de manera literal. Y de este modo, me cuenta el administrador —¿se entiende ahora su anonimato?—, se encontraron amenazados de muerte por el ISIS de forma bastante seria. Al parecer, unos yihadistas marroquíes habían empezado a seguirles, creyendo que eran un grupo dedicado a islamizar España, y no les había gustado en absoluto la deriva irreverente, alcoholizante, LGTBI, feminista y en general pecaminosa en los contenidos de una página que creían afín. Cuando colectivos de ultraderecha publicaron los datos personales y domicilios de sus administradores en Forocoches, la amenaza se hizo mucho más grave. Advertidos por la Policía, acabaron borrando esa información de todas partes, pero para entonces la decisión ya estaba tomada: los memes del Glorioso Emirato Andalusí echaban el cierre tras apenas año y medio de actividad.

Tal vez me esté extendiendo de más en este apartado, pero creo que alguien tenía que contar esta historia y poner en valor la importancia de esta iniciativa, que no solo es ilustrativa de esa necesidad de revisitar el pasado para proponer un proyecto de país diferente. Los creadores —y creadoras, que también las hubo— de memes andaluces seguían una tradición de *copyleft*, horizontalidad y cooperación hasta el desborde propio del activismo digital, generando con su éxito inicial una dinámica de retroalimentación entre distintas iniciativas —fanzines del feminismo andaluz, escritura EPA, camisetas reivindicativas...— más o menos aisladas que, a partir de entonces, empiezan a encontrarse en foros, a confluir puntualmente, a construir, en definitiva, un movimiento. Sin ese esfuerzo de los *Glorious Andalusian Emirates* sería imposible entender hoy la popularidad de Malacara o la estética de Califato ¾. Su decisión de echar el cierre no fue tanto por la amenaza de fundamentalistas de uno y otro signo, sino por el agotamiento ante los intentos de manipulación política que hacían de sus creaciones. Y es que lo que para ellos era hipérbole e ironía evidente, otros se lo tomaban literalmente como proyecto político o como lección histórica. Sus convicciones libertarias casaban mal con el riesgo de estar reforzando una identidad política andaluza demasiado esencialista. Les preocupaba, de alguna forma, estar creando un monstruo.

No iban a ser los únicos en percibir dicho riesgo.

* * *

Un adolescente mira a cámara, con gesto inseguro, en una escuela de tauromaquia. Unas chicas se preparan para iniciar una coreografía en un parking lleno de coches tuneados. Un soldador levanta chispas en un taller mecánico. *Ese cristalito roto / yo sentí como crujía...* Son los primeros segundos del videoclip de *Malamente*, que sumó más de un millón de visitas en YouTube en apenas dos días. Este éxito arrollador granjeó a Rosalía, junto a una legión de fans, una oleada de críticas que iban más allá de lo meramente musical. Desde ámbitos activistas y cercanos a la izquierda se le acusaba de *apropiación cultural* por convertir los elementos gitanos y andaluces del flamenco en un producto de consumo global sin reconocer el origen de los mismos y las condiciones de opresión que dieron lugar a su nacimiento. La *apropiación cultural* era un concepto surgido en la década de 1980 dentro de los estudios postcoloniales, pero hasta la fecha no había tenido cabida en el *mainstream* español, por lo que las revistas y suplementos culturales prestaron bastante atención al tema.

La activista gitana, feminista y antirracista almeriense Noelia Cortés había abierto el melón de la apropiación cultural a finales de 2017[17] con su crítica a *Los ángeles*, el anterior álbum de Rosalía, aunque la polémica se disparó en 2018 al mismo ritmo que las reproducciones de los videoclips de *El Mal Querer*. Cortés aprovechaba el éxito de Rosalía para denunciar legítimamente un antigitanismo muy presente en la sociedad española que, sin embargo, solo se hacía presente desde las ausencias: la cuestión no estaba en por qué Rosalía tenía tanto éxito, sino por qué no lo tenían otras artistas que no eran ni payas, ni barcelonesas, ni trabajaban con multinacionales. Algunas críticas, en cambio, acababan reduciendo la apropiación cultural —una perspectiva crítica que advierte la creciente tendencia del mercado global a descontextualizar elementos propios de colectivos marginados para generar beneficios sin que estos reviertan en dichos colectivos o aminoren su exclusión— en una suerte de culpa individual de la propia artista. Otras cometían el error contrario: fustigar a Rosalía como un producto de la industria y el marketing, negándole toda decisión individual, toda capacidad creativa. Y entretanto nadie, al menos entre la izquierda, se preguntaba: ¿qué hay en la música de Rosalía que levante tantas pasiones? Porque la batalla no era solo contra ella, sino sobre todo por apropiarse de los valores y aspiraciones que de alguna manera reflejaba su figura y su obra —ya comenté algunos ejemplos de ello en el capítulo inicial, como un artículo de Andrea Levy que rayaba lo obsceno[18]—.

---

17 CORTÉS, N. «¿Y si la cara del flamenco actual fuese Alba Molina?», *Je ne sais pop*, 4 de enero 2018; disponible en https://jenesaispop.com/2018/01/04/316948/la-cara-del-flamenco-actual-fuese-alba-molina/

18 LEVY, A. «¿Quién teme a Rosalía?», *Vanity Fair*, 24 de julio 2018; disponible en https://www.revistavanityfair.es/la-revista/articulos/andrea-levy-rosalia/32389

Fue especialmente por irritación contra esa izquierda empeñada en abrazar siempre el marco perdedor y tirar piedras contra su propio tejado por lo que escribí el artículo en *CTXT* titulado «Querida Rosalía, disculpe las molestias». Pero mi irritación no era contra la denuncia de apropiación cultural ni contra quienes la habían planteado originalmente, sino contra la incomprensión de lo que tal denuncia significaba. Porque toda esta polémica estaba íntimamente ligada a la nueva identidad andaluza que tratábamos por entonces de comprender, de definir, de promover. Si las mismas señas de identidad cultural que durante el siglo XX fueron expropiadas a Andalucía para pasar a ser la identidad de la España toda, ahora, brillantemente actualizadas y reformuladas, se convertían en cultura global a través de Rosalía, ¿qué significaba ser andaluz en el siglo XXI? ¿No nos condenaba esa renuncia a definir lo andaluz, una vez más, solo como la forma concreta más frecuente de ser pobre en España?

En todo litigio por la propiedad es el sujeto que siente conculcados sus derechos quien denuncia públicamente a la parte usurpadora. Pero en política, los sujetos colectivos no están definidos de antemano, y mucho menos sus propiedades. Los sujetos políticos se construyen, precisamente, mediante la apropiación de determinados significantes a través de operaciones discursivas. Como lo son, por ejemplo, las denuncias de apropiación cultural. El *affaire* Rosalía era síntoma de que un proceso de ese tipo estaba en marcha: la construcción de un nuevo sujeto colectivo andaluz. O dicho de otra forma —eso fue lo que traté de explicar en mi artículo—, «la emergencia, todavía incipiente y difusa, de un nuevo andalucismo».

Reenmarcando la polémica como una más dentro del clima de «reclamación y dignificación de la identidad cultural andaluza» en el que incluía las distintas iniciativas andalucistas antes descritas, sugerí la existencia de «un movimiento que pretende resignificar en clave moderna, progresista y feminista elementos culturales largamente asociados a una cultura conservadora y casposa» y que «entronca fuertemente con los propósitos del andalucismo cultural de los setenta y ochenta, los años del éxito del flamenco protesta y el rock andaluz». Este movimiento, esbocé, «puede que sea efecto de una década de crisis que se ha vivido en Andalucía de forma más intensa y duradera que en el resto del Estado, puede que sea reflejo del conflicto catalán, puede que sea simplemente un agotamiento de la cultura de la transición en su declinación andaluza, puede que sea todo esto a la vez». Pero, en todo caso, la polémica había dejado claro que los «andaluces necesitamos con urgencia reapropiarnos de la poesía, la música, el cine y la cultura para (re)constituirnos como una comunidad con voz propia y superar la brecha que nos condena a tener vidas más breves y más duras que las de nuestros vecinos del norte».

Creo que era la primera vez que se hablaba de un nuevo andalucismo tan abiertamente. Y tal vez por eso llamé la atención de mucha gente a la que había leído, pero con la que nunca había tenido contacto, como Rubén Pérez Trujillano, al que tantas veces he citado ya —y las que me quedan—. Como el anónimo administrador de la página de memes, Rubén también estaba preocupado por la deriva esencialista de una parte del andalucismo, justamente la que se había mostrado más agresiva contra Rosalía. «No podemos reaccionar agriamente contra una muchacha de la periferia barcelonesa, nos degrada», decía Rubén. «La gimnasia identitaria deja de ser liberadora y nos perjudica cuando parte de una identidad acomplejada, cuando alimenta el veneno que nos corroe». El nuevo andalucismo debía hacerse cargo de la subalternidad histórica andaluza, claro, pero sin convertirse en un movimiento gruñón, victimista y enfadado con el mundo. Indagar en nuestra identidad cultural y nuestro pasado era imprescindible a la hora de ganar autoestima colectiva, pero corríamos el riesgo de acabar construyendo una concepción de lo andaluz tan estrecha que, de tanto buscar la pureza, acabase despreciando y enfrentándose al país real que debía articular. «La búsqueda de una urdimbre entre cultura y política depara muchos abismos, pero es necesaria», concluyó Rubén.

Ojalá hubiéramos tenido tiempo para seguir debatiendo tranquilamente, buceando en las redes, bicheando nuevos grupos musicales y discutiendo sobre esencialismo, materialismo y construcción de identidades... pero el 8 de octubre de 2018, nuestra amada presidenta Susana Díaz pulsó, por segunda y última vez en su vida, el botón rojo del adelanto electoral.

* * *

No querría terminar este capítulo sin hacer un último apunte. Revisando la polémica sobre Rosalía, la apropiación cultural y el privilegio, no he podido evitar preguntarme por qué soy yo quien está escribiendo este libro. Lo fácil sería caer en el tópico de decir que tuve la inmensa suerte de estar en los sitios adecuados en los momentos adecuados y así me convertí en testigo privilegiado de sucesos relevantes. Pero, como planteaba Noelia Cortés en su filípica contra Rosalía, a veces es más importante pensar las ausencias más que las presencias. ¿Por qué este relato sobre el nuevo andalucismo —o sobre la Andalucía contemporánea, o qué se yo— no lo escribe uno de sus verdaderos protagonistas? Una rapera cordobesa, un diseñador gráfico granaíno, una sindicalista onubense, un memero sevillano, una antirracista almeriense; cualquiera menos un simple comentarista del resto que, por si fuera poco, vive en Madrid. Espero de corazón que alguien se lo haya preguntado ya a estas alturas del libro.

Porque tal vez la respuesta tenga precisamente que ver con eso, con vivir en Madrid y no precisamente como un emigrante de la posguerra. Llegué con un buen contrato de trabajo como asesor político, conocí a periodistas, políticos, editores y tertulianos en los bares de Lavapiés y en los pasillos del Congreso; ahora soy funcionario del Estado y escribo estas líneas desde un cómodo despacho con aire acondicionado. Paradójicamente, no escribo sobre andalucismo a pesar de estar en Madrid, sino precisamente a causa de ello. Había muchas candidatas, probablemente mejores, para contar esta historia. Yo solo tenía el tiempo remunerado, la seguridad en mí mismo y, sobre todo, el capital social que otras no tenían, que yo mismo no tuve hasta llegar a la capital. Por eso en estos últimos años nunca me faltó dónde publicar lo que otros solo podían contar en sus blogs, sus muros de Facebook o Instagram, sus listas de correo; en sus memes, camisetas o canciones, en el mejor de los casos. Me produce hasta pudor que Mar Gallego tuviese que autopublicar su *Como vaya yo y lo encuentre* y aquí esté yo, disfrutando de adelantos editoriales por escribir esto. Confío en que al menos quede claro mi reconocimiento hacia quienes de veras alumbraron y alumbran en su día a día, con mucho más esfuerzo, un nuevo andalucismo. Porque su labor, lo veremos en los próximos capítulos, va a ser más necesaria que nunca.

No sería tan firme

Rocío Márquez, «Firmamento», 2017

Colegio de Educación Infantil y Primaria Valdés Leal, Carretera de Carmona, Sevilla. 2 de diciembre de 2018, jornada electoral en Andalucía. Me ha tocado cubrir este colegio electoral como apoderado de Adelante. Un chico de Izquierda Unida se ha encargado de la mañana, cosa que agradezco profundamente porque el bocata que comí de madrugada en la gasolinera de Ronda de Capuchinos no había cumplido su función mágica de evitar la resaca. Antes de ir al colegio me acerco a Triana a comer con mis antiguas compañeras del 15M y del círculo de Podemos en el barrio. Tanto la caída de la participación en las zonas más progresistas como los mensajes que llegan desde los colegios electorales hacen temer lo peor, hasta el punto de brindar por una victoria de Susana Díaz entre risas y un «virgencita, virgencita, que me quede como estoy».

Ya en el colegio, el ambiente parece confirmar esa sensación. El distrito Macarena, al que pertenece, es un feudo socialista en el que Izquierda Unida o Podemos solían adelantar al PP como segunda fuerza. Esa tarde, sin embargo, los interventores y apoderados socialistas no están tan sonrientes y solícitos como de costumbre. Muchas señoras mayores hacen caso omiso de su saludo y van directas a votar con el sobre preparado de casa. Los del PP no tienen mejor humor: a cada poco miran de reojo cómo van los montoncitos de papeletas de Vox y Ciudadanos. Cuando veo a una chica de no más de veinte años con el pelo teñido de azul meter la papeleta de Vox en un sobre, la preocupación y la resaca empiezan a ceder paso a la depresión. Me distrae de mis tribulaciones la parlanchina apoderada de Ciudadanos, una señora menorquina que me cuenta que el partido ha ofrecido a los militantes de otras comunidades un fin de semana todo incluido en Sevilla o donde fuera, con paseo turístico y demás, y a ella le ha encantado la plaza de España y mira qué fotos saqué y mira esto es Menorca, ¿te gustan las vistas?, son de mi casa, y mira mi hija qué guapa y qué mala cara tienes, qué te pasa, con el salero que tenéis aquí en el sur.

A las 20:00 cierran las urnas y empieza el recuento. No conservo las hojas en que apunté los resultados de las mesas de ese colegio, pero a grandes rasgos coincidían con los resultados de su sección censal que he consultado a posteriori: el PSOE gana con un 28,5% de los votos, le sigue Cs con un 19%, PP y Adelante empatan al 18% y Vox obtiene casi un 10%. Al finalizar el recuento, ese señor en chándal, hosco y desagradable, que ejercía como apoderado de Vox sonríe algo incómodo cuando le dan la mano, más incómodos todavía, los elegantes apoderados del PP. Mientras los del PSOE discuten con la funcionaria intentando recontar alguna mesa, la ciudadana menorquina se despide de mí muy contenta: al final no ha ido tan mal, no dejes de venir a Menorca, te va a encantar, ya verás. Salgo a fumar al patio y compruebo en el móvil que la catástrofe es todavía mayor según los resultados provisionales. El PP obtiene el menor apoyo de su historia, pero va a gobernar Andalucía por primera vez gracias al apoyo de Ciudadanos y a la irrupción de una extrema derecha hasta ahora ajena a las instituciones. Le pregunto a un compañero si tiene sentido pillar un taxi para reunirme con ellos en la Cartuja, en la sala de conciertos que Adelante ha alquilado para hacer el seguimiento de resultados; la respuesta es un lacónico «no».

Mientras vuelvo a la casa donde me hospedo estos días, voy pensando en que todavía me quedan por ver los discursos de valoración de vencedores y derrotados. Definitivamente elegí un mal día para volver a militar.

* * *

Tal vez sea demasiado exagerado llamar militancia a mi escasa actividad en aquella campaña pero, bueno, me explico. Después de que Teresa Rodríguez doblara el pulso a Iglesias con la construcción de una marca propia, los medios ya veían a Adelante como «la nueva confluencia andalucista». De modo que la hipótesis del nuevo andalucismo, que apenas empezaba a perfilarse desde la perspectiva de la cultura pop, iba a trasplantarse de golpe y porrazo a la política electoral. Y aunque rechacé la oferta de trabajar en su equipo de campaña, decidí echarles una mano en cuanto pudiera. Inevitablemente, pensé, el 2 de diciembre sería un punto de inflexión importante en la construcción de ese movimiento andalucista. Lo que entonces no podía imaginar era en qué sentido.

Revisando el primer borrador de estrategia de campaña que me envió Pablo Ganfornina, por entonces secretario político de Podemos Andalucía, compruebo en primer lugar que, efectivamente, existía una apuesta discursiva clara por construir «una nueva identidad andaluza que va más allá [...] de los símbolos del andalucismo de la transición (Carlos Cano, 4D, 28F) o de la Andalucía asociada a la lucha jornalera (ocupaciones de fincas, Marinaleda, SOC)»; algunos pilares en torno a los que construir esa identidad serían el rechazo al centralismo, la defensa orgullosa de nuestro dialecto y la asociación con la modernidad a través de las «vanguardias culturales y estéticas» en el ámbito musical y de redes sociales. El documento recogía buena parte de las aportaciones que ya había formulado el secretario de Juventud del partido, José Ignacio García[1], pero yo no pude dejar de leerlo como una victoria póstuma de mis empeños por construir aquel «nuevo relato andaluz» durante mi etapa como responsable de discurso.

Lo que compruebo en segundo lugar no es tan satisfactorio. En un documento de estrategia de campaña se analiza a cada adversario en liza y se establecen las formas de relacionarse con cada uno de ellos: a Fulano le atacamos por tal flanco, pero nunca por

1 GARCÍA, J. I. «Hacia un nuevo discurso del cambio en Andalucía», *Paralelo 36*, 28 de diciembre de 2017, disponible en https://www.paralelo36andalucia.com/hacia-un-nuevo-discurso-del-cambio-en-andalucia/

tal otro; a Mengano le ignoramos sin entrar al trapo; a Zutano se le interpela solo en positivo… Pues bien, lo curioso es que, en octubre de 2018, Vox no aparecía por ninguna parte. No se mencionaba siquiera. Miento: haciendo un Ctrl+F he encontrado una escueta referencia, en el apartado del PP, haciendo alusión a que tendrá que adoptar una línea agresiva e incorrecta para no perder votos de la derecha en su favor. En contraste, para hacernos una idea, «PSOE» aparece 21 veces y «Susana», 16. Por mucho que se quisiera mirar *Adelante*, cuatro décadas de Gobierno socialista y cuatro años de guerra abierta contra Susana Díaz determinaban una visión distorsionada de la coyuntura política: creíamos que el régimen andaluz era tan firme como las columnas de nuestro escudo.

* * *

No sería tan firme… la voz de Rocío Márquez canta con desgarro una seguiriya. Pero no es una seguiriya al uso. En vez de una guitarra, le acompañan un saxofón y unos timbales… *ay, no sería tan firme / este firmamento.*

Prácticamente al mismo tiempo que *Los ángeles*, el primer disco de Rosalía, y también con la producción y el sello personal de Raül Refree, sale a la luz *Firmamento,* de Rocío Márquez, en marzo de 2017. En su caso no es el primer álbum, ni mucho menos. Desde que ganase la Lámpara Minera de la Unión en 2008, Márquez es una de las grandes del flamenco contemporáneo. Pero con *Firmamento* inicia un giro vanguardista que la va a entroncar con la mejor tradición heterodoxa, de Camarón a Morente, añadiéndole además una importante carga feminista: todas las letras del álbum están escritas por mujeres, de Christina Rosenvinge a Elena Salgado. Sus temas son también revolucionarios: canta un fandango lisérgico contra el vertedero químico de Huelva; dedica unos caracoles —el cante de los andaluces emigrados a Madrid— a los refugiados sirios a los que se les cierran las puertas de Europa, explora nuevos sentidos interpretando los *Destierros* de Teresa de Jesús por bamberas al *free jazz…*

Es, no obstante, la seguiriya que da título al disco la pista que más me estremece. Sus enigmáticos versos —una de las últimas obras de la poetisa Isabel Escudero— quieren sonarme a presagio oscuro de lo que estaba por venir. Contribuye a ello el tono inquietante y tenebroso del saxofón, el desasosiego que crece al ritmo de los timbales y la marimba hasta desembocar en un cierre apocalíptico. Quiero imaginar, insisto, a Rocío Márquez como una Casandra moderna que en 2017 está cantando el final trágico de cuarenta años de Gobierno socialista en Andalucía. Que está narrando la triste gesta de Susana Díaz...

* * *

Estábamos convencidos, decía, de que la hegemonía socialista era tan firme como los pilares de nuestro escudo. Y cuando digo «estábamos» no es un plural de modestia: me refiero a todo el mundo. Empezando por la propia Susana Díaz, claro. Después de fracasar en las primarias contra Pedro Sánchez, había visto a su rival llegar hasta la Moncloa no por ganar unas elecciones, sino gracias al apoyo parlamentario de Podemos y los nacionalistas: lo que ella siempre había rechazado hasta el punto de dar un golpe interno en su partido. Ante el maremoto político que vivía España desde el referéndum catalán del pasado octubre, Díaz afirmó que Andalucía necesitaba «estabilidad» como excusa para adelantar los comicios. En realidad, era ella misma quien necesitaba reafirmar su autoridad después de que los pilares sobre los que había construido su estrategia política —sostener un largo Gobierno de Rajoy y mantener un cordón sanitario contra Podemos— se vinieran abajo en la moción de censura. No parecía difícil reeditar una mayoría suficiente que confirmase, por mucho ruido que hubiera al norte de Despeñaperros, que Andalucía seguiría siendo la reserva espiritual del inmovilismo.

Luchaste con la corriente...

Era normal que lo creyese posible, dado que su principal rival, el Partido Popular andaluz, no se encontraba en su mejor momento. Juanma Moreno, un candidato sin el carisma de Javier Arenas, que además había apoyado al bando perdedor de Sáenz de Santamaría en las primarias populares, no parecía tener madera de líder ni el apoyo de su propio partido. Su momento de mayor protagonismo en la campaña consistió en una surrealista conversación con una vaca a la que preguntó si iba a votar al Partido Popular. Ciudadanos vivía un momento dulce, sí, pero aparentemente ese crecimiento perjudicaba solo al PP. Su candidato, Juan Marín, era tan soso que buena parte de la campaña se la echó al hombro la diputada catalana Inés Arrimadas, recuperando milagrosamente un acento andaluz que nadie le recordaba. Era una rival más digna de Díaz, pero si los naranjas habían sido dóciles hasta el sonrojo durante casi cuatro años de legislatura, no sería difícil volver a obtener su apoyo. En caso contrario, siempre les quedaba a los socialistas lanzar un órdago a su izquierda: o me apoyáis gratis o investís a la derecha.

Susana Díaz, sin embargo, estaba infravalorando dos factores decisivos. El primero era la intensidad de la indignación que sentían en aquel invierno de 2018 los sectores más conservadores de la sociedad —buena parte de los cuales, en Andalucía, votaban socialista—. El segundo era hasta qué punto había tenido éxito su propia estrategia en los años anteriores.

Ay, arbolito, te secaste

a la orilla de una fuente…

Tres eran los agravios que prendían la mecha de la indignación conservadora. El primero era el agravio que sentía buena parte de la sociedad española ante el desafío independentista catalán.

El segundo agravio se generó con la llegada a la Moncloa de un Gobierno percibido como ilegítimo, tanto por haber accedido al poder a través de una moción de censura como por los apoyos «populistas e independentistas» (de Podemos a ERC pasando por Bildu: la anti-España en pleno) que esta había necesitado para prosperar. El tercer agravio, en fin, consistía en una reacción neomachista ante el imparable ascenso del feminismo en todos los ámbitos desde la huelga general del 8M de aquel año. En el corazón de ese triángulo del agravio crecía, silenciosa, la popularidad de Vox. Una formación hasta entonces marginal constituida por el ala más ultraconservadora del PP, la que no tenía reparos en atacar los consensos sociales en torno al aborto, la homosexualidad, el estado de las autonomías y hasta la propia democracia.

Sus críticas a la «derechita cobarde» conectaron bien con los sectores irritados por la incompetencia del PP en la gestión de la crisis catalana y que veían a Ciudadanos demasiado volubles por mucho que radicalizaran su discurso. Entraron en la campaña electoral andaluza con un vídeo amateur en el que la banda sonora del Señor de los Anillos acompañaba a unas imágenes de Santiago Abascal encabezando al trote una partida de caballistas, junto al torero Morante de la Puebla, por la finca de este último. El *tweet* que lo presentaba rezaba: «La Reconquista empezará por tierras andaluzas». Se viralizó rápidamente hasta alcanzar más de un millón de reproducciones, en buena parte gracias a noticias que lo tildaron de «delirante» o «ridículo». En realidad, era el mascarón de proa de una brillante campaña en redes sociales orquestada por un joven militante de la formación, Manuel Mariscal, formado en los chiringuitos del PP madrileño y con contactos en Cambridge Analytica[2]: el arquitecto de la red de canales de comunicación de Vox desde los que se libraban batallas contra la República Memera andaluza. No fue por casualidad que aquella campaña de Vox para el 2D pareciese el negativo tenebroso del movimiento memero andaluz, tanto en sus temáticas históricas

2 Se lo cuenta él mismo a Javier Negre en esta crónica: «El joven propagandista de Vox que montó a Abascal en un caballo», *El Mundo*, 9 de diciembre de 2018, disponible en https://www.elmundo.es/cronica/2018/12/09/5c0a9d12fdddff0e388b4606.html

como en su tono irreverente, sus referencias a la cultura pop, su estilo artesanal del *do it yourself*. En sus mítines, Abascal busca la polarización identitaria hasta el extremo: desde la «catedral» (sic) de Córdoba exige el cierre de las mezquitas porque «los españoles no hicimos una Reconquista para nada»; en Granada hace loas a Isabel la Católica y Fernando III el Santo «frente a quienes reivindican la Andalucía de Blas Infante, de Almanzor y Al-Ándalus». Hasta la promesa electoral de cerrar Canal Sur parecía ser una venganza contra el reciclaje andalucista de iconos televisivos como Juan y Medio o María del Monte por parte del *Andalusian Shitposting*. Por su parte, Adelante tampoco se quedó atrás en su campaña online, pero las presiones al movimiento memero para obtener apoyos a menudo generaron fricciones y contribuyeron a su desgaste.

En fin, la campaña de Vox para las elecciones andaluzas fue excelente, pero su éxito ya estaba cocinándose hacía tiempo. La ultraderecha creció al calor de la reacción autoritaria y punitivista al independentismo catalán. Engordó con cada titular sensacionalista que calificaba de «invasión» o «avalancha» la habitual llegada estival de pateras a nuestras costas. Se normalizó cuando sus dirigentes fueron aceptados como uno más en las tertulias. Pero es que, al fin y al cabo, lo que decían no era tan distinto de lo que defendían, desgañitados, Rivera o Casado. O en voz algo más baja, la propia Susana Díaz.

...y la firmeza de tu tronco

te puso el inconveniente.

Porque decíamos que había un segundo factor que Díaz infravaloraba, y era el éxito de su propia estrategia. Ya lo explicamos en su momento: la estrategia susanista ante la irrupción política de los hijos del 15M no pasaba en absoluto por la conciliación ni la reforma, sino por un giro conservador y centralista que permitiese capear el temporal y sostener el imperio que acababa de heredar: un régimen andaluz con más de treinta años de historia. Gerardo Tecé dataría, años más tarde, el inicio de aquella estrategia en «aquel miércoles de abril» de 2014 en que la presidenta decidió desalojar a las vecinas de la Corrala Utopía, dinamitando su pacto de gobierno con Izquierda Unida[3]. Puede que tenga razón. Pero Díaz ya venía dando pistas: en su primera comparecencia en Madrid como presidenta andaluza, en octubre de 2013, culpó a Rodríguez Zapatero del auge independentista por el apoyo prestado a la reforma del *Estatut*. Era la primera vez que el socialismo andaluz asumía el marco territorial de la derecha: «No concibo la ruptura de la unidad de España, que es un proyecto nacional con mucho futuro». Sí, Griñán fue culpable de unos recortes despiadados y de amparar una corrupción multimillonaria. Como el PP. Pero se distinguía de ellos, entre otras cosas, en afirmaciones como esta:

> No nos engañemos: o en España vamos a un Estado federal o será muy difícil que sigamos hablando de Estado español como lo hemos conocido hasta ahora. Es más: o ese Estado federal se conforma como Estado plurinacional o se nos presentarán dificultades prácticamente insalvables para el nuevo pacto que ha de permitir en el futuro la integración en el Estado español de lo que hasta ahora han sido todos sus territorios.[4]

No, el giro susanista no consistía solo en pactar con Ciudadanos y excluir a Podemos. Tenía un calado más hondo. Contra la tradición de su propio partido, que apenas diez años antes había reformado el Estatuto andaluz definiendo a Andalucía como nacionalidad y ampliando el catálogo de derechos y competencias, según el modelo del *Estatut* catalán, Díaz hizo suyo el mantra de la unidad de España como sinónimo de inmovilismo constitucional e involución centralista.

---

3 TECÉ, G. «Aquel miércoles cualquiera que acabó con la carrera de Susana Díaz», *CTXT*, 16 de junio de 2021, disponible en https://ctxt.es/es/20210601/Firmas/36367/Susana-Diaz-PSOE-Andalucia-Juan-Espada-Gerardo-Tece.htm.

4 VV. AA. *Por una reforma federal del Estado autonómico*, prólogo de J. A. Griñán, Fundación Alfonso Perales, 2014; p. 26.

Traspasó la fina línea entre la defensa del orden constitucional y su desvirtuación españolista que tan bien explica Pérez Trujillano[5]. Y lo que es peor, se esforzó en poner la identidad andaluza al servicio de esa estrategia. La identidad moderna de Andalucía, ya lo vimos en el capítulo anterior, se construyó en los siglos XIX y XX de una forma íntimamente ligada a los conflictos que oponían al pueblo andaluz con unas élites de carácter extractivo y vinculadas a un Estado autoritario —primero la monarquía, después el franquismo—. El conflicto que les oponía era material y político, no identitario; la tensión histórica que había dado lugar al pueblo andaluz no era su enfrentamiento con otros pueblos, sino contra la oligarquía. Esta identidad popular-andaluza siempre había sido compatible, inseparable y hasta simbiótica con una identidad nacional-española que sí se había definido tradicionalmente por oposición a lo islámico, a lo vasco o a lo catalán, pero, de alguna manera, cada polo de la identidad dual respondía a sus propias necesidades. Por resumirlo gráficamente: escuelas y ambulatorios con banderita andaluza; policías y militares con banderita española. No era fruto del azar. Desde los años 80, los Gobiernos socialistas de la comunidad autónoma construyeron un estado de bienestar en el que premeditadamente se confundían las lindes entre identidad, institución y partido; entre Andalucía, la Junta y el PSOE. El problema central del PSOE susanista era cómo mantener el poder cuando las políticas autonómicas ya no buscaban la construcción del estado de bienestar, sino su desmantelamiento. Y su respuesta consistió en vaciar la identidad andaluza de ese contenido social y sustituirlo por el del enfrentamiento entre pueblos propio del españolismo. No, Susana Díaz no inventó la catalanofobia ni fue la primera en importarla a Andalucía, pero sí invirtió ingentes esfuerzos en convertir la identidad andaluza en un calco de la peor identidad española.

Bastan dos ejemplos: el primero es la concesión de la medalla de Andalucía a Elvira Roca Barea[6], autora de panfletos que exaltan

---

5 PÉREZ TRUJILLANO, R. *Andalucía y reforma constitucional*, Almuzara, 2018.

6 Un avispado columnista de *La Razón* afirmó entonces que tal premio «demuestra una cosa sola: que nadie entre los encargados de galardonarla ha leído más allá de la

los mitos del nacionalcatolicismo sin respeto alguno por la verdad histórica, como se encargó de explicar vehementemente José Luis Villacañas en su *Imperiofilia y populismo nacionalcatólico*[7] —un par de años más tarde, por cierto, Barea llamaría «botarate» e «imbécil integral» a Blas Infante, para sorpresa de nadie—. El segundo ejemplo es el acto organizado por el PSOE de Andalucía en conmemoración del 40 aniversario del 4D en 2017, que Susana convirtió en un mitin contra los independentistas catalanes aunque apuntase en el fondo a Pedro Sánchez. «El socialismo y el nacionalismo son incompatibles», dijo rodeada de banderas andaluzas. «Los nacionalistas son de derechas siempre porque levantan fronteras y buscan hacerlo, mientras que los socialistas las eliminamos y borramos». Siempre me ha fascinado la gente que ve el nacionalismo en el ojo ajeno y no a una ultranacionalista española como Roca Barea en el propio. Y más que fascinarme me repugnan quienes sufren por fronteras hipotéticas al tiempo que piden vallas más altas y concertinas más afiladas en las realmente existentes. Porque antes de que Vox y sus medios afines popularizasen el término «MENA», la primera fuerza política en proponer oficialmente la devolución de niños migrantes a sus países de origen fue también —sorpresa— el PSOE andaluz de Susana Díaz.

* * *

---

solapa su monumental *Imperiofobia y leyenda negra*, un valiente alegato contra todo lo que representa el poder progre, mitad totalizador y mitad blandiblú, de la Junta (o acaso un lúcido asesor, harto de las tontas politiquerías al uso, ha colado el bromazo). Agnóstica defensora de la Iglesia católica y armada con una españolidad que no deja el más mínimo resquicio a la idiotez periférica…». En fin, siguen más cosas fachas. El articulito se puede encontrar fácilmente, no me apetece siquiera citarlo.

7 VILLACAÑAS, J. L. *Imperiofilia y populismo nacionalcatólico*, Lengua de Trapo, 2019. Nótese que la primera réplica decente a Roca Barea llegó tres años después del lanzamiento de su panfleto, cuando este ya batía récords de ventas bien dopado por campañas publicitarias, premios editoriales e institucionales y los elogios que le prodigaron diputados de casi todo el arco parlamentario. Ciudadanos incluso la invitó a dar un mitin electoral en Málaga. Si los apasionados defensores de la verdad histórica que pueblan nuestra academia y nuestra prensa escrita hubieran invertido en desmentir a Barea una décima parte de la atención dedicada a atacar las herejías de González Ferrín, otro gallo hubiera cantado.

No sería tan firme

este firmamento...

Volvamos a la noche del 2 de diciembre en que estoy volviendo a casa, temiendo los discursos de valoración de resultados que me esperan en el televisor. Me ha tocado preparar unos cuantos, y sé que hay escenarios que, por mucho que prepares, no eres capaz de imaginar como posibles. Por eso los preparas peor, porque en el fondo da lo mismo: llegada esa situación, la catástrofe es de tal magnitud que casi da igual lo que digas. Creo que esa fue exactamente la sensación vivida aquella noche en la sede del PSOE de Andalucía.

...cuando ahora mismo,

en este mismo instante...

Juanma Moreno comparece a las 22:45, exultante y entre gritos de «presidente, presidente»: aun con el peor resultado de la historia de su partido, va a ser el primer dirigente popular en gobernar Andalucía. Susana Díaz se resiste a creerlo. A asumir su derrota. Cuando por fin comparece a las 23:00, rodeada de caras circunspectas, empieza reivindicando una victoria pírrica, se refiere vagamente al retroceso «de la izquierda en general» y concluye haciendo «un llamamiento a todas las fuerzas políticas que decimos que somos constitucionalistas a demostrarlo parando a la extrema derecha en Andalucía». A buenas horas. Hace mucho tiempo que la palabra «constitucionalista» dejó de ser incompatible con la extrema derecha. Y la propia Susana Díaz había sido partícipe de ese giro. A finales de 2018 «constitucionalista» ya venía a ser sinónimo de anticatalanismo, de españolismo exacerbado, de mano dura contra populistas e independentistas. La foto de Colón lo ratificaría apenas tres meses después.

...se apagó un lucero.

Ay, no sería tan firme

este firmamento...

El 2 de diciembre de 2018, el susanismo, fase terminal del socialismo andaluz, acabó muriendo de éxito. Su afinidad con Ciudadanos convirtió a esta formación en una opción legítima para un electorado socialista que difícilmente hubiera votado al PP, generando así una fuga importante a su derecha. La demonización de cualquier fuerza a la izquierda del PSOE estranguló el crecimiento de Adelante Andalucía, el único socio que, en un clima de creciente polarización entre izquierda y derecha, podía mantenerle en el gobierno: el socialista descontento prefirió quedarse en casa antes que darle una oportunidad a Teresa Rodríguez. Y, por último, en el ámbito social, cultural e ideológico, el giro conservador y españolista en el discurso de la Junta había abonado el terreno sobre el que había de crecer Vox. O quizá más que abonar, como explicaron gráficamente Trujillano y Fernández, su tarea fuese la contraria: «De la Andalucía más fecunda y fértil nació la democracia autonómica y sobre ella plantó sus raíces. En la Andalucía yerma, marchita y seca que nos legó el PSOE-A solo crecen monstruos»[8].

8 TRUJILLANO, R. P. y FERNÁNDEZ, F. «Vox, el fruto de una Andalucía yerma», *Cuartopoder*, 14 de noviembre de 2019; disponible en https://www.cuartopoder.es/ideas/2019/11/14/vox-el-fruto-de-una-andalucia-yerma/. Es justo reconocer que suyas son buena parte de las ideas que recojo en este capítulo.

Lo peor de la condena...

Recapitulo a modo de conclusión. Intuíamos que la despiadada y pertinaz crisis económica que había hecho añicos nuestras expectativas, las de la primera generación de andaluces nacidos en autonomía, iba a tener efectos profundos en el ámbito identitario. Asociamos a ese contexto una serie de novedosas manifestaciones culturales de impronta andalucista: si cuarenta años después seguíamos sufriendo los mismos agravios y problemas que sufrieron nuestros abuelos, la reacción natural sería, creímos, un retorno al punto de partida, a los sueños y aspiraciones de aquel 4 de diciembre. Lo que no fuimos capaces de ver hasta toparnos de bruces con Vox fue que existía otra forma de canalizar toda aquella frustración: la de juzgar la autonomía —esto era, decíamos, tanto como decir «la democracia»— y hasta la propia identidad histórica de Andalucía como una inmensa estafa. Como un engaño diseñado por los políticos para despilfarrar en prostíbulos y cocaína los recursos que nos faltaban. Y la noche del 2D comprobamos con espanto que esa siniestra canalización de las frustraciones hacia una visión idealizada y nostálgica del franquismo distaba mucho de ser residual.

...es cogerle el gusto

a las cadenas.

Se desploman los mástiles / de no abanderar

Versos de Vicente Molina Foix (1975) recuperados por Gata Cattana en su poema «La profecía» (2016)

Parlamento andaluz, 6 de diciembre de 2020. Acaban de cumplirse dos años de la llegada del Partido Popular y Ciudadanos al Gobierno andaluz con el apoyo de Vox y estamos en mitad de una pandemia global que apenas empieza a dar un respiro. Andalucía mantiene, no obstante, el confinamiento perimetral de todos sus municipios, el cierre de toda actividad no esencial a las 18:00 y el toque de queda a las 22:00. En España, la actualidad está marcada por un manifiesto en el que más de 400 militares retirados advierten del «deterioro de la democracia» y de que «la unidad de España está en peligro» con el actual Gobierno, por lo que se ponen a disposición del Rey para «garantizar la soberanía e independencia de España y defender su integridad territorial y el orden constitucional, entregando la vida si fuera preciso». Unos días antes se ha hecho público un chat de exmilitares en el que proponen abiertamente un alzamiento militar para «aniquilar a 26 millones» de españoles.

En la fachada del Parlamento lucen, como en todo edificio oficial, tres mástiles para las banderas europea, española y andaluza. Pero la mañana de hoy, día de la Constitución, el tercero de esos mástiles amanece vacío. Alguien hace una foto y la cuelga en Twitter; se disparan los rumores... ¿Será posible que hayan retirado la bandera blanca y verde para exaltar más aún la rojigualda? ¿Es cosa de Vox? ¿Qué nos queda ya por ver?

* * *

Terminamos el capítulo anterior con el incrédulo discurso de la derrotada Susana Díaz la noche del 2 de diciembre. Como ya sospechaba, todavía me quedaba por sufrir esa noche. Después de Díaz es el turno de Francisco Serrano, candidato de Vox, que, con 400 000 votos y doce escaños, confirma triunfalista lo prometido en su *spot:* «Somos la Reconquista y hemos venido para quedarnos». A continuación, y sin que estuviera previsto, Pablo Iglesias comparece junto a Alberto Garzón con gesto grave: «En nombre de Unidos Podemos: alerta antifascista», comienza diciendo. El discurso de los líderes estatales de Unidas Podemos eclipsará la valoración, más bien escueta y decepcionada, de Teresa Rodríguez y Antonio Maíllo, e inaugurará un marco interpretativo —el de la polarización entre extremos— que pronto se hará predominante hasta el hartazgo en la política española. Dos días más tarde, los tradicionales actos nostálgicos andalucistas por el 4 de diciembre se convierten en nutridas manifestaciones en todas las capitales andaluzas. El *Andaluces, levantaos* aprendido en la escuela entre molletes y flautas resuena una y otra vez, pero probablemente para muchos —especialmente para muchas— será la primera vez que lo canten con rabia, con valentía, para insuflarse ánimos en común, como un himno partisano. En algunas ciudades la noche acaba en disturbios. Hacía décadas que no se vivía un 4D así.

Se convoca también una concentración en Madrid. Ingenuo de mí, acudo a la Puerta del Sol con una bandera andaluza: soy el único. Solo veo banderas rojas, negras y republicanas, tal vez alguna LGTBI. Es básicamente una concentración antifascista al grito de «no pasarán» o «Madrid será la tumba del fascismo». No es una diferencia menor: mientras los movimientos sociales andaluces van a expresar su repulsa a Vox y preparar su resistencia al Gobierno de las derechas reivindicando el contenido democrático, social y antifascista de los símbolos oficiales de toda la comunidad, la izquierda madrileña solo dispone, para tal batalla, del viejo arsenal simbólico de la Guerra Civil. Esta carencia les acabará pasando factura.

El año 2018 acaba entre el miedo y la incertidumbre. La noche del 2D se había abierto una puerta hacia lo desconocido y nadie sabía a ciencia cierta qué cabía esperar del futuro Gobierno andaluz. Sus votantes, imagino, estarían llenos de esperanza; los progresistas se preparaban para lo peor. Durante décadas, el PSOE había jugado hábilmente con un miedo cerval a la derecha, movilizando a su electorado pese a las continuas decepciones a las que lo sometía y forzando el apoyo parlamentario de andalucistas e Izquierda Unida a sus gobiernos. De tanto ir a la fuente se había roto el cántaro. Ahora los temidos bárbaros estaban a las puertas del palacio de San Telmo. ¿Acabaría la derecha con el legado autonomista andaluz? ¿Qué iba a pasar los recursos contra la violencia machista? ¿Serían capaces de cerrar Canal Sur?

* * *

Si el 4 de diciembre es el día grande de la izquierda andaluza, la extrema derecha local celebra tradicionalmente su propia romería menos de un mes después: el 2 de enero, conmemoración de la Toma de Granada. Y este año tienen más motivos que nunca para la celebración. Ortega Smith, secretario general de Vox, ufano ante el reciente resultado electoral, acude a Granada para darse un baño de masas y atender a los medios: «La Reconquista no ha terminado, aunque algunos crean que sí [...]. Es una asignatura pendiente ante la invasión del islamismo radical». Aprovechando el tirón, pocos días después presentan sus 19 condiciones para apoyar la investidura de Moreno Bonilla.

El documento empieza fuerte: devolución al Estado de las competencias en materia sanitaria, educativa y de orden público. Siguen con la supresión de subvenciones a asociaciones «feministas, comunistas» o «liberales» —imagino que el primer borrador decía masónicas y luego achantaron—. Más: «colaborar con la policía en la identificación de inmigrantes ilegales para que puedan ser expulsados», o sea, obligar a docentes y sanitarios a delatar a sus alumnos o pacientes. Otra: medidas para «evitar el drama del aborto». En materia educativa, PIN parental, educación diferenciada por sexos y «libre elección» de centro, a la madrileña. Ah, y derogar, claro, las leyes de Memoria Histórica, las leyes por la igualdad y contra la violencia de género, las de no discriminación al colectivo LGTBI, y en general todas las «leyes ideológicas». Pero no todo iba a ser prohibir y derogar, también tenían propuestas en positivo: una Ley de Caza y Tauromaquia y otra para proteger las «tradiciones del mundo rural» —el derecho a tirar cabras desde el campanario y a seguir disfrutando del bombero torero, vaya—.

En fin, se podían haber quedado ahí porque ya les había quedado un documento completito a la par que aterrador. Pero faltaba la puntilla, la guinda, el toque maestro. «El Día de Andalucía pasará del 28 de febrero al 2 de enero, en conmemoración de la culminación de la Reconquista». Igual lo metieron a última hora porque Ortega Smith se había marchado de Granada contentísimo entre la exaltación patriótica y los vinitos de después en la calle Navas y soltó el típico «esto hay que repetirlo todos los años». O igual lo tenían bien pensado, quién sabe.

La Fiesta de la Toma conmemora la rendición de Granada ante los Reyes Católicos en 1492: Boabdil aceptó entregar pacíficamente la ciudad a cambio de que los soberanos se comprometiesen a respetar la fe, lengua, tradiciones y propiedades de sus nuevos súbditos. No sé si añadir otra vez un «*spoiler*: sale mal» o apostar por un «lo que pasó a continuación te sorprenderá»; la cosa es que, menos de diez años después de la firma de las capitulaciones, el cardenal Cisneros ya había ordenado el bautismo forzoso de los granadinos y quemado toda la biblioteca nazarí en la plaza Bibrambla: 800 años de producción intelectual y artística hispanoárabe fueron pasto de las llamas.

Siempre ha sido una fiesta polémica. Su devenir ha ido parejo al de la conflictiva relación de la identidad española y andaluza con su pasado andalusí, hasta el punto de que su historia bien podría ilustrar todo lo contado sobre ello en páginas anteriores. Hasta pensé en usarla como ese acontecimiento/excusa que estoy usando al inicio de cada capítulo. El problema es que, a pesar de haber vivido cinco años en Granada, nunca participé ni de lejos en la Toma. Ni a favor ni en contra, quiero decir. No es que me diera igual, es que, por encima de cualquier efeméride, el 2 de enero es Día Universal de la Resaca post-nochevieja —algunos dicen que es el día anterior: no sé si celebran poco o si es que tienen un hígado de acero—. ¿Qué tipo de gente madruga un día así para ir en procesión a la tumba de los Reyes Católicos o, peor aún, para pelearse a voces con unos nazis en la plaza del Ayuntamiento? Veámoslo.

La fiesta se remonta al testamento de Fernando el Católico en 1516, en el que se ordenaba conmemorar anualmente la conquista de la ciudad con misas y procesiones, a las que seguía alguna fiesta popular. Con la llegada del liberalismo, el protagonismo eclesiástico se empezó a compensar con actos institucionales en los que se introdujeron la bandera y el himno nacional. Durante el Sexenio Democrático, el movimiento republicano que, como vimos, planteó una relectura del pasado andalusí para poder construir una identidad española no forzosamente católica, intentó resignificar en sentido laico la fiesta local introduciendo lemas como: «¡Por la ciencia, por la cultura, por la fraternidad, por la ilustración del niño, la emancipación de la mujer y la redención del obrero!», con el escaso éxito que cabe esperar de semejante eslogan. La Restauración supuso el retorno de la alianza entre la Iglesia y el Estado, también en las festividades locales y, a medida que avanza la guerra colonial en Marruecos, se va reformulando el ritual de la celebración para fusionar la celebración religiosa con el desfile militar y la exaltación de los valores civilizatorios y de progreso que trajo la conquista.

En fin, que para cuando se proclama la Segunda República, la Toma es ya una fiesta demasiado ligada a la España que se quiere dejar atrás. Para García Lorca, la caída de Granada «fue un momento malísimo» en que se perdió una «civilización admirable [...] para dar paso a una ciudad pobre, acobardada [...] donde se agita actualmente la peor burguesía de España». La festividad oficial de la ciudad se traslada al 26 de mayo, en conmemoración de la ejecución de Mariana Pineda, mártir liberal contra el absolutismo, por poco tiempo: los fascistas fusilarán a Lorca, prohibirán la fiesta de Mariana y restablecerán con el mayor boato los fastos del 2 de enero, día sagrado de culminación de la Reconquista. Con el regreso de la democracia, la fiesta de Mariana vuelve a celebrarse, pero el 2 de enero mantiene su primacía como festivo oficial de la ciudad, especialmente de sus vecinos más «nostálgicos» —los muy fachas, vaya—. La celebración no es unánime: grupos andalucistas, colectivos antifascistas y comunidades musulmanas empiezan a protestar cada 2 de enero. Los nostálgicos llaman a sus cachorros: neonazis de toda España empiezan a acudir anualmente a la fiesta. Año tras año, en la plaza del Ayuntamiento, mientras tiene lugar la liturgia cívica del acto, unos y otros se cruzan insultos, pitidos, alguna piedra... Total, que el despliegue de antidisturbios se convierte en la principal innovación contemporánea en el ritual tradicional de la Toma.

El V Centenario de la conquista de Granada quedó completamente eclipsado por la Expo, las Olimpiadas y la avalancha de conmemoraciones del descubrimiento de América. Sin duda esta era una efeméride mucho más importante para una sociedad que volvía a ver en el Atlántico —esta vez en su vertiente europea— la solución a sus problemas, y mucho más cómoda para un Gobierno que, tras la reciente Conferencia de Madrid, intentaba ganar peso internacional como mediador en el conflicto árabo-israelí: celebrar la derrota musulmana y la expulsión de los judíos no era, digamos, lo que mejor le venía en ese momento.

No solo el Gobierno se sentía incómodo con una fiesta así. El 2 de enero de 1995, un grupo de intelectuales entre los que se contaban Antonio Gala, Carlos Cano, Ian Gibson o Luis García Montero presentan en la Alhambra un manifiesto en el que proponen sustituir la Toma por una «Fiesta de la Tolerancia» sin exaltaciones nacionalcatólicas y más acorde a los valores democráticos, sumando el apoyo de la UNESCO, entonces presidida por Federico Mayor Zaragoza. El alcalde de Granada —del PP, claro— les respondió que «el que quiera ponerse turbante, que lo haga en la cabalgata de los Reyes Magos». Chimpún.

Decía que la polémica de la Toma servía como ejemplo de muchas cosas que había contado antes, y la deriva del PSOE andaluz en su última década también es una de ellas. Siguiendo la estela de aquel manifiesto de 1995 y en el contexto del *zapaterismo*, el líder de la oposición, el socialista granadino Paco Cuenca, apoyó en 2011, junto a Izquierda Unida, la sustitución de la Toma por el día de Mariana Pineda como fiesta oficial de la ciudad. En 2016 llega a la alcaldía tras la dimisión del anterior alcalde popular, detenido en una operación anticorrupción. No cumple su promesa de cambiar la fecha oficial, pero al menos parece tomarle la palabra a aquel alcalde que creía que celebrar la tolerancia era «ponerse el turbante»: la celebración incorpora un desfile de moros y cristianos. Imagino que tal astracanada debió de ser entendida como una concesión a la izquierda, ya que el mismo alcalde lo compensa, en 2018, con otra novedad muy del gusto nostálgico: un desfile militar de la Legión. No sé qué hilo de razonamientos llevó al PSOE granadino de querer resignificar una fiesta nacionalcatólica a perfeccionarla con lo único que le faltaba, que era la cabra de la Legión, pero creo que no ando muy equivocado si me remito a lo que escribí, páginas atrás, sobre el *susanismo* como fase terminal del socialismo andaluz. A día de hoy, por cierto, Paco Cuenca vuelve a ser alcalde de Granada gracias a una moción de censura rocambolesca; aguardo con intriga cuál va a ser su próxima idea para seguir «modernizando» la fiesta local.

En fin, toda esta digresión solo quería poner en contexto la propuesta de Vox de sustituir el 28 de febrero por el 2 de enero como Día de Andalucía. Entiéndase el espanto, solo comparable al pavor que sin duda sintieron muchos capillitas al leer *fake news* sobre la intención de Podemos de prohibir la Semana Santa. La diferencia es que aquello fue un bulo y esto un documento firmado pública y oficialmente por el partido que tenía en sus manos el futuro Gobierno de Andalucía.

* * *

En 1898 Konstantinos Kavafis escribió en Alejandría *Esperando a los bárbaros*, un poema en el que refleja la parálisis y la incertidumbre de una polis griega ante la inminente invasión bárbara. Su belleza y profundidad ha sido motivo de inspiración para columnistas, literatos, pintores, músicos, cineastas… hasta el punto de convertirse en un clásico algo manido. Lamento ser tan poco original y saltarme la norma autoimpuesta de emplear únicamente referencias andaluzas, pero qué le hago yo si este poema refleja tan bien mis sensaciones —e imagino que la de muchos andaluces— durante el tiempo que me toca contar. Además, los griegos, como los de Bilbao, nacen en el punto del Mediterráneo que les da la gana: hagamos como si Konstantinos hubiera nacido un par de milenios antes en la colonia greco-andaluza de Mainake. O mejor aún, imaginémoslo como ese mercenario helénico enterrado con armas y honores en Malaka, cuya tumba es hoy la joya del Museo Arqueológico municipal. Cualquier ficción es válida con tal de que pueda acompañarnos en las siguientes páginas.

¿A qué esperamos, congregados en el foro?

A los bárbaros, que hoy llegan.

Efectivamente hoy, 16 de enero de 2019 está prevista la investidura de Juan Manuel Moreno Bonilla —«llamadle Juanma», insiste su equipo a la prensa; les haré caso— como séptimo presidente de la Junta de Andalucía. Hay varias protestas en torno al Parlamento, algunas de ellas convocadas por el PSOE, que hasta pone autocares desde localidades cercanas. A pesar del ruido va a ser un parto rápido, nada que ver con esas investiduras infinitas y de final incierto a las que nos tenían acostumbrados Rajoy, Sánchez o Susana Díaz: el pacto de gobierno entre Juanma Moreno y Juan Marín lleva una semana firmado; el mismo día, además, Teodoro García Egea y Ortega Smith presentaban, a nivel nacional, el acuerdo por el que Vox se comprometía a apoyar al nuevo presidente. Al final, las diecinueve condiciones infranqueables de la derechita valiente se habían quedado en un documento más propio de la derechita cobarde, y eso que, en semanas de investidura, el papel lo aguanta todo. Los 59 votos a favor están garantizados.

En su discurso, Juanma hace un elogio de la alternancia política, menciona la necesidad de diálogo en una cámara tan fragmentada, apuesta no obstante por un cambio «que tiene que ser conciliador, pero también real». Constata que, desde la Transición, «Andalucía no ha recortado la distancia que la separaba del resto de España» por culpa de «unas políticas que fijaron un objetivo distinto al del progreso de Andalucía: el mantenimiento de un partido político en el poder a toda costa». Reivindica el «orgullo de ser andaluz» mencionando a Blas Infante junto a García Lorca, Antonio Machado, María Zambrano, Picasso, Carmen de Burgos o Paco de Lucía. Una cita de Adolfo Suárez va a ser el mejor resumen de su intervención: «Soy una persona normal y voy a gobernar desde la normalidad».

Creo que poca gente se esperaba un discurso así. Da lo mismo: la oposición va a centrar sus intervenciones no en lo que dijo el candidato, sino en lo que había firmado con Vox la semana anterior. O peor, en lo que esa misma mañana vuelve a resonar en el discurso de su portavoz Francisco Serrano: la clásica retahíla contra la inmigración, los okupas, la «dictadura de género», la anti-España, la corrupción y el despilfarro —esto último tiene gracia porque a los pocos meses el tipo se verá obligado a dimitir por malversar una subvención de más de dos millones de euros—. Ante ese plantel, Susana Díaz le recuerda al candidato popular que «para todo en su Gobierno va a depender de un partido machista», de los «herederos del franquismo», y Teresa Rodríguez, que están «entregados a la extrema derecha» y que «la autonomía andaluza corre más peligro que la unidad de España». Al final, y sin sorpresas, Juanma es proclamado presidente: ya están aquí los bárbaros. A ver cuánto tardan en liarla.

* * *

¿Por qué esta inacción en el Senado?

¿Por qué están ahí sentados sin legislar los Senadores?

Porque hoy llegarán los bárbaros.

¿Qué leyes van a hacer los senadores?

Ya legislarán los bárbaros, cuando lleguen.

Falsas expectativas las nuestras: los bárbaros no parecían tener prisa ninguna por legislar. Los grandes cambios prometidos por Juanma tenían que esperar. Lógico: 2019 fue un año plagado de citas electorales, y eso suele ser sinónimo de parálisis institucional. Elecciones generales en abril, elecciones municipales en mayo —con su complemento autonómico en la mayoría de comunidades— y otra vez elecciones generales en noviembre, ante la falta de acuerdo entre PSOE y Unidas Podemos. No es momento de ponerse a presentar proyectos ni proposiciones de ley, francamente, habiendo mociones y gestos para dar titulares y colarse en la campaña que toque.

Porque gestos sí hubo, y muchos. 2019 fue el año de la primera foto de Colón. Juanma Moreno, como Feijóo, al principio se hizo el longui, pero al final acudió. Consiguió ser tan discreto que es imposible encontrarlo en la imagen que sería portada al día siguiente y que marcaría las elecciones venideras, augurando la decadencia de Cs y catapultando aún más a Vox. La cosa es que Casado, Abascal y Rivera se lo pasaron tan bien en Colón que pretenden repetir quedada en Semana Santa, que coincide casualmente con días de precampaña electoral, asistiendo juntos al traslado legionario del Cristo de Mena en Málaga. Al final, el hermano mayor de la cofradía les obliga a cancelar porque, por mucho que la Legión sea percibida —para bien o para mal, a izquierda y a derecha— como un icono de lo muy español y mucho español, en Málaga es sobre todo parte de un ritual muy transversal y muy nuestro. Claro que viendo el traslado de Mena puedes encontrar nostálgicos de genocidios coloniales o nacionales, pero también mujeres de toda edad y condición gritando obscenidades a los descamisados legionarios, abuelos recordando su mili emocionados, antiguas vecinas del Perchel llorando a moco tendido por el barrio que perdieron, niños fascinados por los malabares con fusiles y guiris fotografiando el paso de una cabra con sombrero sin entender absolutamente nada. Todos juntos —salvo los guiris, claro— cantando desgañitados *El novio de la muerte* que, como supieron ver Los Planetas y el Niño de Elche, es una canción de amor preciosa, aunque ellos más bien la estropeasen con su versión *indie*. Quienes desde Madrid fantaseaban con convertir la Semana Santa malagueña en un acto electoral fascistoide podrían haberse pasado aquel año, como yo, por el encierro de las Penas, donde mientras el Cristo entraba en su casa hermandad al son de una saeta, dos chicas se besaban apasionadamente. Pero ya tendremos tiempo de profundizar algo más sobre las complejidades malagueñas, ahora nos vamos a Aragón.

Cadrete es una localidad de 4000 vecinos, a pocos kilómetros al sur de Zaragoza. Yo tampoco la había oído nunca hasta junio de 2019, cuando saltó, por primera y seguramente última vez en su historia, a la prensa nacional: su recién elegida corporación municipal había decidido retirar un busto de Abderramán III, fundador del pueblo, porque su figura «no es representativa de la sociedad actual ni del pueblo como para figurar en nuestra plaza principal». El argumento —por el cual la Puerta del Sol perdería la estatua ecuestre de Carlos III para poner en su lugar a Paquirrín— era de Vox, claro. La decisión fue casi unánimemente calificada de ridícula, pero a mí no me lo pareció tanto. Primero porque aquel año España parecía acoger las Olimpiadas de la gesticulación política, y en esa categoría nunca hay que subestimar a los imitadores de Mussolini. Segundo porque, como demostraría poco después la polémica levantada en todo el mundo por el movimiento *Black Lives Matter*, las estatuas no son meros vestigios del pasado sino parte decisiva de las disputas del presente. Y tercero porque era un síntoma claro de por dónde iba la estrategia de *balcanización* de Vox.

La «balcanización de España» fue una expresión usada hasta la saciedad hace unos años para referirse a las estrategias nacionalistas en Cataluña y País Vasco. En cambio, ha brillado por su ausencia en los últimos tiempos, a pesar de la emergencia de un partido que sigue punto por punto el manual de revisionismo histórico, extranjerización del adversario y épica militar-chovinista del ultranacionalismo serbio, principal impulsor del conflicto balcánico. Si el 28 de junio de 1989 Milosevic relanzaba su carrera política arengando a las masas serbias desde Gazimestán (Kosovo) en el sexto centenario de la batalla que allí se libró contra los turcos, el 12 de abril de 2019 Abascal hacía lo propio desde Covadonga[1], donde tuvo lugar, según la mitología hispánica, la batalla que daba inicio a la Reconquista. Tanto el uno como el otro equiparan a sus adversarios del siglo XXI con los archienemigos de la nación y de la fe, el Imperio otomano o el Emirato cordobés respectivamente. Así, su proyecto político iría más allá de lo partidario, convirtiéndose en un hito más en una disputa histórica entre el bien y el mal protagonizada por la «verdadera» nación, siempre asociada a una serie de gestas bélicas determinadas. Para consolidar esta imagen de su proyecto necesitan acabar con toda representación alternativa de la comunidad. Así, el acoso a los *andalusian memes*, la retirada del busto de Cadrete, la sustitución de la Almossasa —fiesta conmemorativa de la fundación de la ciudad— por la efeméride de la conquista cristiana como día oficial de Badajoz o la cruzada contra Blas Infante no son excentricidades aisladas, sino parte de un plan determinado. Las palabras de Ortega Smith sobre una nueva Reconquista parecen un calco de las que pronunció Milosevic en Kosovo: «Seis siglos más tarde estamos comprometidos en nuevas batallas, que [...] no pueden ganarse sin la resolución, el denuedo y el sacrificio, sin las calidades nobles que estaban presentes en los campos de Kosovo en aquellos días del pasado». Era 1989. En cuestión de meses, este discurso acabó conduciendo a décadas de guerra y limpieza étnica en los Balcanes. En España todavía no sabemos a dónde nos conducirá el crecimiento de Vox, pero los

1 Alba Rico sugiere en su *España* que Abascal se inspiró en Gil Robles, que ya había hecho lo mismo en 1933. Creo que viene a dar lo mismo: el proyecto de Vox está tan inspirado por la CEDA como por el renacimiento de los nacionalismos étnicos de finales del siglo XX.

chats y manifiestos de militares retirados que citamos al inicio de este capítulo no inspiran precisamente confianza.

Mientras Vox lanzaba este tipo de exabruptos, una parte de la izquierda andaluza proponía —y sigue haciéndolo— evitar sus «trampas culturales» centrando la atención en las cuestiones materiales: criticar las rebajas fiscales a grandes fortunas y defender de los servicios públicos. Creo que, en general, ese empeño izquierdista por separar las cuestiones materiales de las culturales o identitarias es un error —se han escrito ríos de tinta sobre ello—. Pero es que, además, en Andalucía, nuestra propia historia demuestra que solo ha sido posible ganar en derechos cuando ha existido un movimiento cultural vigoroso que reformulase nuestra identidad bajo otras perspectivas. Todo aquel que haya trabajado algo la comunicación política conoce de sobra la importancia de los relatos y la estructura de los mismos: un «nosotros» que padece el problema, un «ellos» responsable de la injusticia y una solución que solo nosotros podemos llevar a cabo. Pero a menudo se olvida un ingrediente fundamental, el pegamento que mantiene unidos los otros tres elementos: unos referentes simbólicos compartidos capaces de movilizar en torno al objetivo común y de definirnos por oposición al adversario. La construcción de un «nosotros» andaluz en la Transición fue inseparable del rechazo a la dictadura y de la aspiración autonómica como solución a todos nuestros males, y ese ensamblaje histórico no puede comprenderse sin el rol fundamental que jugó una generación decisiva en la cultura andaluza.

Me dicen que esta misma editorial, en su colección de nuevos Episodios Nacionales, incluirá uno —ardo en deseos de leerlo— expresamente dedicado a *La Gira Histórica*: un ciclo de conciertos en favor del *sí* durante la campaña del referéndum autonómico del 28F que juntó a todos los grandes músicos andaluces de la época. Y vaya época: Camarón, Triana, Rocío Jurado, Pata Negra, Lole y Manuel, Silvio, María Jiménez, Carlos Cano, Tabletom… toda una serie de artistas que reinterpretaron y subvirtieron magistralmente la tradición y el folklore andaluz para depurarlos de elementos reaccionarios y convertirlos en vanguardia, en la representación misma de la modernidad y el futuro. ¿Acaso fue casual la coincidencia temporal de ese momento culminante de la música andaluza con la movilización social andalucista? Cuando leo a Aumente y otros teóricos de entonces separar con tanta vehemencia las cuestiones materiales de las simbólicas, infravalorando las especificidades culturales, a la hora de pensar la cuestión andaluza, me pregunto si no veían la simbiosis entre mitin y concierto que impregnó aquella gira. Y me pregunto también si esa incapacidad de la segunda ola andalucista para mantener amarrados lo material y lo simbólico no allanó el terreno a un PSOE que volvería a domesticar el folklore al mismo tiempo que convertía las promesas de la autonomía en papel mojado. En fin, por terminar con esto —y tal vez extrapolando de más—: las estatuas de Almanzor te pueden parecer una chorrada en comparación con el ambulatorio del pueblo, pero es que ambas cosas se levantaron en los mismos años y por las mismas razones. Cuando veas retirar las primeras, los segundos están en peligro.

Gestos y más gestos en el *trifachito* andaluz. Agresivos los de Vox, contradictorios los de Cs, sorprendentes los del PP. Porque Juanma se desmarca cada vez más a menudo de sus socios ultras, dejando a la oposición fuera de juego. Un ejemplo: poco antes de la investidura de Moreno algunos sugerimos promover un «nuevo Pacto de Antequera» como herramienta para reagrupar a la siempre fragmentada izquierda andaluza en la defensa de una autonomía en grave peligro[2]. Imagínese nuestro descuadre al comprobar que Juanma celebraba su primer Consejo de Gobierno precisamente en Antequera con el objetivo de conmemorar el pacto original y reafirmar su defensa del Estatuto y del legado autonómico. Qué decir de las tradicionales efemérides andalucistas, que nos veíamos ya celebrando en la clandestinidad. *¡Que son los mismos que lo fusilaron! / Y si no los mismos, son los niños que criaron,* cantaba el rapero Áyax sobre las ilustres visitas a la casa natal de Lorca. Pero no. Juanma y sus

2 PÉREZ TRUJILLANO, R. «Un pacto andaluz frente a la reacción centralista: llamamiento a la cordura», *Cuartopoder*, 11 de diciembre de 2018, disponible en https://www.cuartopoder.es/analisis/2018/12/11/pacto-andaluz-reaccion-centralista-cordura/.

socios de Ciudadanos cumplieron escrupulosamente y con agrado el protocolo participando en los actos del 28 de febrero, del 5 de julio y el 10 de agosto —nacimiento y asesinato de Infante— y hasta del 4 de diciembre. Los de Vox disparataron, una vez más, contra la derechita cobarde que se sumaba al «engendro» andalucista, pero la cosa se quedó en pataleo.

Más allá de los gestos, el nuevo Gobierno quiso reivindicar la bajada de impuestos como seña de identidad, empezando por acabar con los restos del Impuesto de Sucesiones, que Susana Díaz ya había bonificado al 99% en el 95% de los casos. También apostó por debilitar la Educación Pública, reduciendo 411 aulas públicas, para beneficiar a la concertada; una aberración poco original, habida cuenta que el curso anterior el Gobierno socialista las había reducido en 487. Y cuando, años después, presentó su primer proyecto de ley para relanzar el sector de la construcción reduciendo los controles administrativos y medioambientales, negoció previamente la abstención del PSOE, que la consideró una ley «necesaria» —esto es, que ellos habrían firmado gustosamente de seguir ahí—.

No me veo capaz de hacer un balance serio de qué ha supuesto el cambio de gobierno en Andalucía. Y no quiero, bajo ningún concepto, que esto se entienda como una apología del mismo. Sé que avanzan con rapidez las privatizaciones en el ámbito educativo y sanitario, que se agrava el deterioro de sectores ya castigados como el de bomberos forestales o el de asistencia social, que se otorgan facilidades inéditas a fondos de inversión o patronales del juego en los «planes de recuperación». Que por mucho que el presidente se desmarque periódicamente de Vox, su dependencia de la ultraderecha no deja de ser una amenaza permanente a las conquistas sociales y democráticas de los últimos cuarenta años. Y soy consciente de que los presupuestos reducen cada año las partidas destinadas a igualdad de género y contra la violencia machista. Pero reconozco —y creo que no soy el único— que en el fondo este Gobierno tiene mucho más de continuidad que de ruptura con la etapa susanista. El Gobierno de Juanma se dio prisa en cambiar el logotipo de la Junta de Andalucía, sustituyendo la vieja antena wifi por una «A» verde, pero, en esencia, su proyecto ultraliberal se ha demostrado ampliamente compatible con el marco legal e ideológico construido por el PSOE en la última década.

Tenemos un ejemplo de ello en Canal Sur. Como en toda cadena pública sometida a un cambio de gobierno, hubo idas y venidas de directivos, directores de informativos, tertulianos y productoras. Pero ni echó el cierre —como pedía Vox en campaña—, ni cambió su nombre —como pidió Vox más tarde—, ni alteró sustancialmente su programación. No hizo falta crear nuevos programas de tauromaquia, caza ni equitación —como hubiera pedido Vox— porque ya existían. Solo fue necesario hacerle un hueco a Bertín Osborne. Su amigo Juan y Medio siguió emparejando ancianos, descubriendo niños prodigio y haciendo humor casposo como si nada hubiera pasado. Los informativos siguieron copados por las intervenciones de los consejeros de gobierno, como si nada hubiera pasado. Y, salvando el relativo éxito de algunos programas como *Tierra de talento*, la cadena continuó perdiendo espectadores año tras año… como si nada hubiera pasado.

¿Estaba decepcionando la derecha andaluza a su electorado? Es posible. Pero también decepcionaba la izquierda. En abril de 2019, PSOE y Podemos ganan las elecciones generales en la comunidad, en noviembre serán PP, Vox y Cs —casi empatados entre los dos primeros al 20%— quienes ganen en votos. Justo después de las elecciones se dicta la sentencia de la pieza política del caso ERE: seis años de prisión para Griñán y quince de inhabilitación para Chaves por su responsabilidad en la malversación de 680 millones de euros. Es el broche definitivo a la clausura del régimen *pesoista*. En todo caso, la repetición electoral dará lugar a una imagen que ya creíamos imposible a aquellas alturas: la de Pedro Sánchez y Pablo Iglesias anunciando juntos un pacto de gobierno. Es la primera vez que la izquierda a la izquierda del PSOE va a pisar un ministerio desde la Guerra Civil. Para rematar el año, China anuncia al mundo, el 31 de diciembre, la aparición de un nuevo coronavirus aparentemente muy agresivo. Feliz 2020.

* * *

¿Por qué nuestros dos cónsules y pretores salieron
hoy con rojas togas bordadas;
por qué llevan brazaletes con tantas amatistas
y anillos engastados y esmeraldas rutilantes;
por qué empuñan hoy preciosos báculos
en plata y oro magníficamente cincelados?
Porque hoy llegarán los bárbaros;
y espectáculos así deslumbran a los bárbaros.

A finales de febrero de 2020 vuelvo a Sevilla. Tenía ganas de volver a ver a mis amigos, disfrutar el puente del Día de Andalucía y, de camino, participar en la tradicional manifestación del 28F, que este año parece tener algo de especial. No es solo por el cuarenta aniversario del referéndum, es que hace falta sacar músculo andalucista ante el Gobierno de Juanma y mostrar unidad ante las tensiones que el pacto de gobierno entre Sánchez e Iglesias está generando en la izquierda andaluza. Me encuentro con los trabajadores del grupo parlamentario de Adelante, que están tomando algo al salir del trabajo. Junto a mis viejos conocidos de Podemos hay ahora nuevos técnicos de Izquierda Unida. Y para ser precisos, los de Podemos tampoco son ya de Podemos: hace apenas diez días que Teresa Rodríguez ha dimitido de sus cargos en el partido, oficializando la ruptura de Anticapitalistas por su oposición al pacto de gobierno con el PSOE. Teresa lo anuncia, con la voz quebrada, en un vídeo algo empalagoso junto a Pablo Iglesias. «No es un adiós, es un hasta luego», le responde Pablo abrazando a la última dirigente díscola de su partido, la que se va por su propio pie sin haber perdido nunca unas primarias. La prensa andaluza sospecha, con razón, que tanta muestra de afecto debe esconder algo, y algún periodista pega la oreja a la puerta de un despacho donde la dirección expodemita habla del riesgo de «un divorcio del copón» con Izquierda Unida. Pero lo dicho, es 27 de febrero, estoy en el Arco de la Macarena con anticapis y peceros, luce el sol, la cerveza está bien fría, la conversación es muy agradable y acabamos todos juntos de barbacoa en una azotea. Si esto es un divorcio del copón, que baje Dios y lo vea.

Al día siguiente, en la manifestación, empiezo sin embargo a percibir cierta tensión. La pancarta que encabeza el bloque de Adelante es sostenida por los líderes de todas las organizaciones de la confluencia: Teresa Rodríguez, Toni Valero, Isabel Franco, Pilar González y Pilar Távora. Sin embargo, detrás de ella marchan casi únicamente los militantes de Anticapitalistas. Izquierda Unida y Podemos han organizado sus bloques propios algo más atrás. Saludo a viejos amigos y conocidos en cada uno. En el bloque morado, una amiga me dice: «ah, conque vas con esos...», en referencia a la bandera andaluza con la palabra «Adelante» estampada en ella con la que intento protegerme del sol. En todo caso, el ambiente es festivo y todo acaba, de nuevo, entre cañas. Recuerdo muchas conversaciones, más bien de coña, a cuenta del coronavirus, al que todavía nadie llamaba «COVID». Todavía se podían hacer chistes al respecto. Dos semanas después, el colapso hospitalario y el dramático ascenso de la mortalidad obligan al Gobierno a declarar el estado de alarma e imponer el confinamiento domiciliario de todo el país.

* * *

Más de dos meses de encierro domiciliario dan para mucho. Concretamente para aburrirse mucho, hasta el punto de despertar inesperadas creatividades. Quien más, quien menos, aprovechó los meses de confinamiento para intentar aprender a tocar la guitarra, convertirse en un maestro de la repostería, ponerse en forma con Patry Jordán, entregarse al karaoke o recuperar ese puzle o esa maqueta que llevaba años en el armario. O, ya puestos, retocar los símbolos históricos de tu comunidad autónoma, que fue lo que se le ocurrió a Juanma Moreno en mayo de 2020, en el punto más agudo de la crisis sanitaria.

En la sala de prensa de San Telmo, el presidente estrena nuevo atril. En él figura un escudo desconocido; algún fotógrafo curioso se acerca para enfocarlo mejor. Descubre que, sobre el tradicional escudo de Hércules aprobado en la Asamblea de Ronda de 1918 y ratificado por el Estatuto de Autonomía de 1981, aparece por vez primera una corona real y otra de hojas de laurel. Ante la sorpresa generalizada, el equipo de prensa del presidente aclara que solo es «un nuevo logo para la Presidencia de la Junta». Cabía preguntarse qué defecto veía Moreno a un escudo oficial que, en su versión simplificada, venían utilizando los sucesivos presidentes andaluces desde hace décadas sin necesidad de añadirle ningún aditamento. ¿Sería esa doble corona presidencial solo un exceso narcisista? ¿O formaba parte de un plan premeditado? Como buen esperador de bárbaros, me incliné claramente por la segunda opción, y escribí un artículo en el que venía a sugerir esto:

«Andalucía nació como sujeto político en la lucha contra el hambre, el analfabetismo y el latifundio a finales del siglo XIX. En el combate contra la dictadura, el paro y la emigración forzada en el siglo XX. En el combate por el derecho a la vivienda y por la defensa del medio ambiente; contra el machismo y por los derechos LGTBI en las décadas más recientes [...]. Una identidad así parece incompatible con el nacionalcatolicismo, el autoritarismo y el neoliberalismo exacerbado que han caracterizado históricamente a buena parte de las derechas andaluzas —o más bien, a las sucursales andaluzas de las derechas españolas—. Vox lo dice sin pelos en la lengua [...]. Moreno, más astuto, sabe que la derecha solo podrá seguir gobernando Andalucía si consigue desatar, sin cortarlo, el nudo gordiano que une la identidad de los andaluces con los ideales progresistas que durante décadas encarnara el Partido Socialista. De ahí la necesidad de ir introduciendo, sin prisa pero sin pausa, incluso en plena pandemia, ligeros cambios simbólicos. Como una corona».

Llovieron las críticas al nuevo escudo. Susana Díaz lo consideró «una frivolidad» y exigió su retirada, al igual que Teresa Rodríguez, que lo calificó de «engendro hortera». La Plataforma Andalucía Viva presentó una queja al Defensor del Pueblo y el SAT, un recurso al Tribunal Superior de Justicia. Pero no solo se irritó la izquierda: el director del ABC de Sevilla lo tildó de «auténtica mamarrachada» y, en general, ni un solo editorial conservador prestó su apoyo al presidente durante la polémica. Hasta los especialistas en heráldica se tiraron de los pelos. Y es que una cosa es modificar el símbolo de la institución que gobiernas, algo bastante habitual, para subrayar el cambio político en su dirección, y otra muy diferente alterar los símbolos nacionales o históricos del país. Especialmente si la modificación implica colocar una corona a un escudo forjado en la tradición republicana.

Era todo un patinazo, pero supieron corregirlo a tiempo: suspendieron su uso hasta poder formalizarlo mediante una reforma legal. El escudo coronado, a día de hoy, solo se sigue viendo, de cuando en cuando, en la solapa de Juanma. Tal vez este fuera, en términos estratégicos, su único error: la identidad andaluza podrá moldearse en provecho de su proyecto político, pero no de esa manera tan brusca, tan cutre, tan forzada. Tomaría nota de ello. Mientras tanto, unos cuantos celebramos la retirada del escudo como una pequeña victoria. Cultural, claro, como todas las —escasas— alegrías que nos depararían estos años.

* * *

¿Por qué empieza de pronto este desconcierto

y confusión? (¡Qué graves se han vuelto los rostros!)

¿Por qué calles y plazas aprisa se vacían

y todos vuelven a casa compungidos?

Porque se hizo de noche y los bárbaros no llegaron.

Las calles y plazas se vacían compungida y bruscamente no por los bárbaros ni por su ausencia, sino por la llegada de la pandemia. Pero, a medida que pasan los meses, en la izquierda andaluza los rostros se van volviendo graves, se extiende el desconcierto y la confusión y reina la desconfianza. Y no es por culpa del COVID precisamente.

Tras la salida de los anticapitalistas, Podemos tiene que recomponer su maltrecha estructura andaluza e inicia, de nuevo, una Asamblea Ciudadana para elegir a la sucesora de Teresa, que acabará siendo Martina Velarde, una diputada por Córdoba en el Congreso por lo demás desconocida hasta la fecha. Antonio Maíllo abandona también la dirección de IU y es sucedido por Toni Valero, con amplio recorrido organizativo en la formación, pero con escasa visibilidad fuera de ella. Se multiplican los conflictos entre las direcciones de Podemos e IU con el grupo parlamentario de Adelante, en el que Teresa Rodríguez dispone de una amplísima mayoría —once de diecisiete escaños— y nadie se ahorra la exhibición impúdica en prensa y redes sociales de sus vergüenzas. Que si me habéis cambiado la contraseña del Twitter. Que si vosotros habéis registrado la marca a vuestro nombre. Que si os estáis saltando tal y tal reglamento. Que si en esta cuenta falta dinero... Lamentable, pero desgraciadamente lógico: la coalición de Adelante Andalucía se levantó de bulla y corriendo, superando mil obstáculos a la interna por parte del *pablismo* y con la presión del adelanto electoral por parte de Susana, sin reglamentos internos dignos de tal nombre ni mecanismos de coordinación serios. Si Adelante estuvo en condiciones de llegar vivo a las elecciones del 2D, fue solo gracias a una relación de sintonía y confianza entre Teresa Rodríguez y Antonio Maíllo que parecía inquebrantable. Pero que no lo era en absoluto.

Podemos Andalucía nació en 2014 mientras la Izquierda Unida de Diego Valderas compartía Gobierno con Susana Díaz, y en su ADN estuvo el rechazo absoluto a esa estrategia política. «Con usted, ni muerta», le espetó Teresa Rodríguez a la presidenta en una de sus habituales trifulcas parlamentarias. Por su parte, IU sobrevivió a duras penas al cogobierno andaluz con los socialistas y Antonio Maíllo llevó a cabo una importante autocrítica del cogobierno con los socialistas, en el que él mismo ejerció como director general de Administración Local. En la rueda de prensa de su despedida de la política, en junio de 2019, continuaba afirmando que aquella experiencia le había servido como «aprendizaje» de que «el PSOE no es un agente de cambio que tenga intención de asumir las transformaciones estructurales que necesita este país». Completa armonía, pues, a este respecto.

Un año más tarde, en plena pandemia, cuando ha vuelto a su puesto de profesor de latín en Aracena, Maíllo escribe unos durísimos *Apuntes sobre la situación en Adelante Andalucía*[3] en los que acusa a Anticapitalistas de «secuestrar» la coalición para llevarla a «posiciones maximalistas inasumibles» y «vampirizar un patrimonio común que principalmente se ha levantado con la mano de obra militante de IUCA y Podemos y con los recursos económicos de ambos». Teresa le responde unos días después[4]: «Te lo voy a decir con mucha honestidad y con mucha claridad: todo lo que yo pueda hacer para evitar repetir como Adelante el desastre que protagonizasteis en el cogobierno de 2012 lo voy a hacer». Y si Maíllo acusa a Rodríguez de «esconder bajo el concepto de "sujeto político andaluz" [...] un partido nacionalista al estilo de las CUP catalanas, controlado por Anticapitalistas», esta le reprocha «callarse» y «bajar la bandera de Andalucía» porque «ahora gobiernan los nuestros», como siempre hicieron PP y PSOE.

La alabada sintonía entre ambos dirigentes está hecha añicos, y la misma ruptura se está reproduciendo en cada pueblo, en cada barrio, entre los militantes de las distintas formaciones. En 2018 fue muy fácil ponerse de acuerdo en torno a dos puntos básicos: construir una organización netamente andaluza con voz propia en las instituciones estatales y presentarse como la alternativa al PSOE, nunca como su muleta. Pero dos años después, con Unidas Podemos en el Gobierno de España, una pandemia asolando el país

---

3 En *eldiario.es*, 29 de septiembre de 2020, disponible en https://www.eldiario.es/andalucia/en-abierto/apuntes-adelante-andalucia_132_6255952.html.

4 En *eldiario.es*, 1 de octubre de 2020, disponible en https://www.eldiario.es/andalucia/en-abierto/apuntes-apuntes-antonio-maillo_132_6261792.html.

y la ultraderecha tomando las calles, la situación es muy distinta. Sí, Iglesias y Garzón se han negado en redondo a que las listas electorales sean diseñadas en Andalucía y a que los diputados andaluces tengan un subgrupo confederal, traicionando uno de los acuerdos fundacionales de Adelante, pero tienen una justificación: no pueden permitir que el sectarismo de Anticapitalistas frustre un pacto de gobierno con Sánchez que se presenta como la única alternativa a un Gobierno de —extrema— derecha.

Efectivamente, la España de 2020 tenía muy poco que ver con la de 2014. No vivíamos ya la resaca del 15M, sino la de la concentración de Colón; los antidisturbios ya no escuchaban tanto el «sí se puede» en los desahucios como el «a por ellos» con el que se les animaba a reventar el referéndum catalán a porrazo limpio. Si el Gobierno de coalición se había vendido a finales del año anterior como un freno al auge de la ultraderecha, la llegada de la pandemia lo revalorizó como el único asidero de esperanza de muchos de los que vieron su vida truncada por ese cambio radical e inesperado. Al menos temporalmente. Y aunque sus grandilocuentes promesas de bienestar se fueran apagando a medida que se comprobaban las limitaciones de los ERTE o del Ingreso Mínimo Vital, no dejaba de ser un alivio comprobar que el extremismo irresponsable de PP, Cs y Vox seguía fuera de un Gobierno con poderes extraordinarios por el estado de alarma.

Unos meses antes del tóxico intercambio epistolar entre Maíllo y Rodríguez, cuando ya se empezaba a intuir la tormenta, publiqué un artículo titulado «Gobernar y gobernarnos: una propuesta para la izquierda andaluza», en el que sugería un punto de encuentro para salvar Adelante. Todavía se podía evitar la tragedia. La primera ola no había tenido en Andalucía la trágica letalidad que tuvo en otros territorios como Madrid, pero estaba generando una crisis económica mucho mayor por la precariedad de los empleos y la extrema dependencia de sectores prácticamente desaparecidos como la hostelería y el turismo. En ese contexto, argumenté, destruir un proyecto político que, sin haber obtenido los resultados previstos, había obtenido, junto a Más Madrid, los mejores resultados electorales de la izquierda en aquel ciclo electoral, era completamente suicida. Y animé a los contendientes a reconocer que cualquier solución pasaría por asumir «dos enunciados igualmente veraces: el primero es que vivimos un renacer del andalucismo en el ámbito social y cultural que necesita una traducción en términos político-electorales. El segundo es que las bases sociales de la izquierda andaluza apoyan mayoritariamente el pacto de gobierno entre PSOE y Unidas Podemos y consideran necesario avanzar en esta u otras fórmulas de entendimiento a nivel autonómico y local». O, dicho de otra forma: «no queremos ser el granero de votos que lleve a unos a la Moncloa ni el laboratorio de otros para su pretendida oposición de izquierdas al Gobierno central».

Mi propuesta consistía en que Unidas Podemos aceptase la naturaleza de Adelante como confluencia plurinacional con los mismos derechos que En Comú Podem o En Marea, a cambio de que Anticapitalistas renunciase al veto apriorístico a los cogobiernos, aceptando consultas caso a caso: «Queremos gobernar y gobernarnos», concluí, «disponer de la autonomía y el poder necesarios para participar, con voz propia, de un gobierno de progreso que aleje los fantasmas reaccionarios, pero que no sacrifique los intereses de Andalucía en nombre de un supuesto interés general». Aunque mucha gente me escribiese por privado —la preocupación por la escalada del conflicto era generalizada dentro y fuera de Andalucía— públicamente solo recibí la —educada— respuesta de una diputada anticapitalista en la que se reafirmaban en su rechazo absoluto a la posibilidad de gobernar junto al PSOE[5]. De parte de IU y Podemos, sonido de grillos y bolas del desierto rodando por el horizonte.

Menos mal, por otra parte. Hubiera sido demasiado cínico por su parte entrar en un debate público cuando ya tenían en marcha planes siniestros bajo la mesa. El 25 de julio de 2020, se reúne en Madrid la Comisión de Seguimiento del Pacto Antitransfuguismo. Habían pasado más de diez años desde su última reunión. Su

5 DORADO, L. y BLANCO, J. «Resistir es avanzar: respuesta a Jesús Jurado», *La Voz del Sur*, 8 de junio de 2020, disponible en https://www.lavozdelsur.es/opinion/cartas-y-videos/resistir-es-avanzar-respuesta-a-jesus-jurado_181612_102.html.

repentina reactivación en un momento en el que, teóricamente, todos los partidos tenían cosas mejores de las que ocuparse, está auspiciada por Ciudadanos, preocupado con razón por la fuga de sus cargos públicos hacia el PP, y por Unidas Podemos, que necesita, en palabras de Enrique Santiago, secretario general del PCE, «arreglar lo del sur». O sea, estirar como un chicle la definición de tránsfuga para que encajen en ella dos terceras partes del grupo parlamentario de Adelante Andalucía. Los de UP, con el apoyo entusiasta del PSOE, proponen calificar como tránsfugas a quienes «traicionando al sujeto electoral político (partidos políticos, coaliciones o agrupaciones de electores) que los presentó a las correspondientes elecciones, abandonan el mismo, son expulsados o se apartan del criterio fijado en sus órganos competentes». Exactamente la posición contraria a la mantenida hasta entonces por el Tribunal Constitucional, según el cual «las limitaciones o restricciones del derecho de participación política por razón de transfuguismo deben armonizarse con la libertad de mandato», es decir, con «la exclusión de todo sometimiento jurídico del representante [...] [hacia] sus electores, organizaciones o grupos políticos en que se integre o haya concurrido a las elecciones».

Las sucesivas reuniones de la Comisión Antitransfuguismo, cuentan sus participantes[6], son tensas. «Con este acuerdo, tú podrías haber sido declarada tránsfuga», le espeta un diputado de Geroa Bai a la socialista Susana Sumelzo, una de las que se mantuvieron firmes en el «no es no» en 2016, cuando la gestora susanista obligaba a facilitar la investidura de Rajoy. De poco sirve, la suerte está echada. La mañana del 29 de octubre, la portavoz adjunta de Adelante-sector-IU presenta sorpresivamente ante la Mesa del Parlamento Andaluz un escrito de Podemos en el que se solicita la expulsión de Teresa Rodríguez y otros siete diputados por encontrarse «en situación de transfuguismo». Más sorpresivamente aún,

6 La mejor cronista de este episodio es la periodista Isabel Morillo. Véase, por ejemplo, «"Hay que arreglar lo del sur": así se cocinó el pacto exprés contra Teresa Rodríguez», *El Confidencial*, 18 de noviembre de 2020.

la Mesa admite a trámite y resuelve inmediatamente a favor dicha petición con los votos a favor de PP, PSOE y Vox.

Es una verdadera chapuza: están aplicando anticipadamente una definición de transfuguismo que todavía no ha sido siquiera aprobada por la Comisión estatal, que después tendrá que ser incluida en el reglamento de la Cámara por vía exprés y que cuenta con informes en contra de los servicios jurídicos del Parlamento y de cualquier órgano jurídico consultado. Pero es efectivo: de la noche a la mañana, Teresa Rodríguez y el resto de diputados andalucistas y anticapitalistas pasan a ser no adscritos, perdiendo el control del grupo y casi todos sus derechos como parlamentarios. Incluida, por supuesto, la subvención de 1,6 millones de euros, principal sostén económico de la coalición, que pasa a ser íntegramente gestionada por Izquierda Unida. Los expulsados anuncian su recurso al Constitucional y una especie de refundación bajo el nombre de «Andalucía no se rinde». La imagen idílica de todos los trabajadores del grupo tomando cervezas en armonía bajo el Arco de la Macarena ya es historia: la mayoría son inmediatamente despedidos o renuncian a cambio de una indemnización.

Lo más absurdo de todo, a mi entender, es que ese gran conflicto en torno a un eventual gobierno de coalición PSOE-UP en Andalucía era, en ese momento, pura política-ficción. Por dos razones. Primero, porque, lejos de desinflarse, la popularidad de Juanma y su Gobierno no dejó de crecer durante la pandemia: había llegado por los pelos, pero su talante moderado y responsable —en comparación con las locuras del PP nacional— le estaba granjeando el apoyo de no pocos votantes socialistas, hasta acercarse a la mayoría absoluta en las encuestas. Y segundo, porque la contraparte del hipotético acuerdo que tantas discordias había sembrado en Adelante seguía siendo una señora tan poco propensa a mirar a la izquierda como Susana Díaz. Su derrota del 2 de diciembre no la condujo a la dimisión, sino a plantear una resistencia numantina contra Sánchez, que en la misma noche electoral soñaba ya con el fin de su vieja adversaria. Las cúpulas estatales de PSOE y Unidas Podemos quieren reproducir en Andalucía su pacto de gobierno, pero para ello tienen que acabar antes con dos dirigentes que durante cinco años han sido agua y aceite. La cabeza de Teresa ya está en una bandeja, pero Susana sigue controlando el partido y no piensa rendirse: habrá primarias y no serán fáciles.

En fin, va siendo hora de concluir este triste capítulo: llegaron los bárbaros, sí, pero salvando a los hunos de Vox, la mayoría se adaptó a nuestra vieja civilización con bastante rapidez. Hasta el punto de que a veces era difícil distinguirlos de nuestros venerables senadores socialistas, lo cual dice más de la decadencia senatorial que de las virtudes bárbaras, dicho sea de paso. Y si alguna barbarie nos impresionó, fue sobre todo la practicada por las izquierdas andaluzas en sus trifulcas internas. Un sanluqueño hubiera resumido este escenario diciendo que estábamos más perdidos que el barco del arroz. Pero un griego como Kavafis plantea siempre las cosas de una forma más elegante:

¿Y qué va a ser de nosotros ahora sin bárbaros?

Esa gente, al fin y al cabo, era una solución.

* * *

Volvemos al Parlamento Andaluz, al mismo 6 de diciembre de 2020 con el que empezamos el capítulo. Apenas una hora después de que saltara la noticia, ya vuela una convocatoria improvisada entre grupos andalucistas y antifascistas para esa misma tarde. Pocos minutos después, la cuenta oficial del Parlamento Andaluz emite un comunicado en el que explica que la caída de la bandera ha sido efecto del viento de la noche anterior y que se ha llamado de urgencia al servicio competente para reponer la bandera en su sitio. Alguna periodista ironiza en Twitter con el gran triunfo andalucista que supone obligar a trabajar a un currante de mantenimiento en mañana de festivo. En el fondo tiene toda la razón.

Pero lo fortuito del episodio no le resta un ápice de simbolismo a la escena: dos años después de las elecciones del 2D, la bandera andaluza no tiene mástil que la sostenga. El PSOE sigue noqueado y afila cuchillos para unas primarias en las que Susana Díaz piensa defender su triste legado; el ambicioso proyecto de Adelante como ingrediente andaluz de la receta plurinacional se ha hecho añicos: Podemos e IU se conforman con ser las «Unidas Podemos del sur» mientras el andalucismo que «no se rinde» inicia una travesía por el desierto... Nadie enarbola ya una arbonaida que está por los suelos, dando pequeños espasmos con cada racha de viento. Pero Juanma Moreno la mira de reojo con insistencia. Podría cogerla perfectamente, cubrirse con ella como un manto real, a falta de corona... ¿Acaso no le queda como un guante a Núñez Feijóo la enseña gallega?

No solo la izquierda fantasea con un nuevo andalucismo a la medida de sus necesidades.

Con mucho acento

Spot de Cruzcampo, 2021

Madrid, Gran Vía, 23 de abril de 2021. Sí, es el Día del Libro, aunque eso no tenga la menor importancia para la escena que están grabando decenas de cámaras: a las puertas del Museo Chicote tiene lugar la presentación pública de *Sabores de la Esteban*, la marca con la que la *celebrity* se estrena como empresaria del sector alimentario. Sus primeros productos son gazpachos y salmorejos frescos; al parecer están bastante conseguidos. Pero yo, que ya estoy escribiendo este libro y no me quito las gafas verdiblancas ni para ver el Sálvame, me pregunto si es casual que Belén Esteban se presente en sociedad fabricando los productos estrella de la gastronomía andaluza en lugar de, pongamos, magdalenas o empanadas. Porque la escena me hace recordar inmediatamente una anécdota que contaba el sociólogo sevillano Ibán Díaz años atrás:

> *[...] Conocí en el extranjero, ámbito interesante desde el que analizar estas cuestiones, a un madrileño y un vasco con los que acabé teniendo discusiones muy similares. De forma muy sintética ambos me ejemplificaron lo que significaba Andalucía en sus respectivos contextos con la referencia a dos personajes públicos.*
>
> *El madrileño apuntó a un jugador del Betis, acusado de maltrato, al que se jaleó en su momento en el Benito Villamarín, y el vasco a la figura de Belén Esteban. Tardé un tiempo en darme cuenta de que el jugador de fútbol era canario y Esteban madrileña. No obstante, estos actos fallidos reflejaban una realidad más interesante. Estos personajes eran andaluces en la medida en que Andalucía no es tanto un pueblo o un ámbito*

> *geográfico, sino una posición simbólica en el mapa político-cultural de España.*[1]

Esteban se ha sabido asesorar. Si el amigo vasco de Ibán asociaba inconscientemente a Belén Esteban con Andalucía, probablemente estará dispuesto a probar su receta de gazpacho, por mucho que su figura le genere un profundo rechazo en casi cualquier otro ámbito. A partir de esta anécdota, Díaz plantea que «la imagen de Andalucía casi siempre se ha construido desde fuera» como «un pozo al que se arrojan aquellos elementos de la propia sociedad y la propia cultura que se rechazan, que se quieren erradicar», tanto desde el campo conservador como desde el campo progresista. Y esas construcciones, evidentemente, impactan profundamente en la propia percepción que los andaluces tienen de sí mismos, consciente o inconscientemente. Un experimento realizado en un colegio de educación primaria de Ronda lo ejemplifica a la perfección[2]. En él, un profesor propone a sus alumnos interpretar a diferentes personajes y recitar algunas frases escritas en un papel. Al interpretar a científicos, empresarios o escritores, los niños leen las frases en castellano «neutro»; mientras que, al interpretar a una asistenta, un delincuente o un mendigo, lo hacen en un andaluz muy forzado. Ni que decir tiene que los niños hablan entre sí o al dirigirse al profesor con su natural acento rondeño.

Todavía no han empezado a estudiar Geografía ni a usar la escuadra y el cartabón, pero estos niños ya han aprendido de sobra a ubicar el espacio simbólico de Andalucía en el mapa cultural, social y político de España. Y lo representan, claro, mediante el acento. Es normal: a poco que hayan visto la televisión o escuchado la radio en casa habrán oído que «hay quien pretende camuflar su incultura

1 DÍAZ, I. «El espacio simbólico de Andalucía en el mapa político español», *El Salto Andalucía,* 11 de mayo de 2019, disponible en https://www.elsaltodiario.com/andalucia/opinion-espacio-simbolico-andalucia-mapa-politico-espanol.

2 Se trata del proyecto «Andalucía, identidad asumida» realizado por la cooperativa de dinamización social «La Fanega». En su momento, el vídeo estuvo publicado en esta dirección, aunque ya no se encuentre disponible: https://www.youtube.com/watch?v=qOXZ4rHprEI.

y su analfabetismo con la excusa del andaluz», calificado también como «hemorragia agramatical, burbujeante puchero de anacolutos, agresiones al diccionario, luxaciones fonéticas» o más sencillamente algo que se confunde con «la vulgaridad y bajunería expresiva» y que solo puede evocar «un mitin en las Tres Mil Viviendas». No son ejemplos ficticios, sino frases literales de políticos, intelectuales y periodistas del año 2020 en relación a la forma de hablar de María Jesús Montero, ministra de Hacienda y portavoz del Gobierno, a la que se le podría criticar por cuestiones muy diferentes a su acento orgullosamente macareno. Lo mismo se podría decir respecto al cordobés Jesús Aguirre, consejero andaluz de Sanidad, que recibió más ataques por hablar del «culillo» de las vacunas que por haber perdido el 20% de las mismas.

«Un acento andaluz escandaliza, rechina o sorprende cuando da una rueda de prensa desde Moncloa, pero no cuando te lee la lista de tapas, te da el precio de los tomates, o te pregunta dónde te lleva el taxi [...]. Cuando repiten mil veces que pronunciar *adurto* o *supermercao* es algo impropio de un cargo de responsabilidad, lo que hacen es recordarte (a ti, que también dices *adurto* o *supermercao*) que no eres merecedor de un empleo mejor», escribí por entonces en un artículo titulado *Andalufobia: apuntar alto para golpear abajo*[3]. La palabra «andalufobia» (también denominada andalofobia o andaluzofobia) llevaba tiempo siendo usada en el ámbito andalucista y del feminismo andaluz: la antropóloga, Ana Burgos, la define, por ejemplo, como «un sistema estructurado que oprime, inferioriza y estigmatiza a Andalucía y a todo lo relacionado con lo andaluz *por el hecho de existir*»[4]. El lingüista Igor Rodríguez, como «la ideología

3 En *El Salto Andalucía*, 23 de abril de 2020, disponible en https://www.elsaltodiario.com/andalucismo/andalufobia-acento-andaluz-maria-jesus-montero-perez-reverte-autoodio.

4 La cursiva es mía, pero el acento en este punto lo pone la propia Burgos para diferenciar la andalufobia de, por ejemplo, el anticatalanismo, que no es una inferiorización de lo catalán *per se*, sino una reacción ante las demandas de soberanía, un castigo por desviarse de la norma española. Las andaluzas, en cambio, no necesitan desobedecer norma alguna: basta con que actúen con naturalidad (por ejemplo, ceceando) para ser minusvaloradas, explica Burgos. Para profundizar en el concepto

lingüística, social, cultural y ontológica que fundamenta la desvalorización del andaluz y la descapitalización de las personas andaluzas». Para Manuel Rodríguez Illana, que ha analizado con todo detalle los mecanismos a través de los cuales se reproduce esta desvalorización en los medios de comunicación[5], se trata nada menos que de una forma de supremacismo lingüístico con tintes racistas. No era la primera vez que estas críticas al tratamiento de la lengua natural andaluza saltaban a la palestra —fue sonado, en 2017, el cese del cónsul español en Washington por ridiculizar el acento andaluz en sus redes sociales para mofarse de Susana Díaz—, pero diría que fue la polémica sobre la ministra Montero la que llevó el término «andalufobia» por primera vez al *mainstream* y, además, de una forma bastante transversal. Por expresarlo gráficamente: empecé publicando un artículo en *El Salto* y acabé siendo invitado a hablar del tema, una semana después, en la tertulia política de Canal Sur Televisión. Puede que se debiera al aburrimiento de tantos meses de confinamiento, que nos llevaba a hablar largo y tendido sobre cualquier cosa, o puede que fuera sintomático de un cierto estado de opinión que pronto se haría evidente.

El análisis de Ibán Díaz, en todo caso, necesita completarse con algo que me parece fundamental. Las visiones coloniales u orientalistas de construcción del *Otro* dibujan un pozo al que no solo se arroja lo rechazable, sino también los objetos de deseo mitificados que se perciben como lejanos, difíciles o inalcanzables precisamente por su incompatibilidad u oposición con la identidad que afirmamos. Encontramos un ejemplo magnífico en un *spot* publicitario producido por Cruzcampo en 2011, en el que explican que el cerebro no se divide en los hemisferios izquierdo y derecho, sino norte y sur. «Tu parte norte te lleva al trabajo todos los días, pero es tu parte sur la que dice *oye, nos tomamos una caña después*»,

---

y sus diferencias con otras «fobias» de fama reciente como la turismofobia véase la intervención de la autora en el debate «Andaluzofilia y andaluzofobia» disponible en YouTube: https://www.youtube.com/watch?v=aPj8heh6J38.

5 RODRÍGUEZ ILLANA, M. *Por lo mal que habláis. Andalofobia y españolismo lingüístico en los medios de comunicación*, Hojas Monfíes, 2019.

«nos vamos de finde» o «siente pasión por el karaoke». Y el *spot* acaba, claro, cantando todos juntos, estilo karaoke: «Todos necesitamos un poco de sur para no perder el norte». Una representación extremadamente honesta del espacio simbólico de Andalucía: todo lo opuesto a la seriedad, responsabilidad y laboriosidad de las sociedades del norte, pero complementario y funcional a las mismas siempre que se limite a ser alegre, divertida, irresponsable y algo zángana.

Concluía Díaz su artículo planteando que la idea reaccionaria de Andalucía tiende a hacerse hegemónica «en la medida en que no hay un rol político y cultural positivo de lo andaluz, en términos progresistas, que la gente pueda asumir de forma masiva. Esta es una labor que, fuera de Andalucía, a nadie le interesa ni nadie espera. Es una guerra cultural que debe lidiarse aquí». El artículo se publicó en mayo de 2019. Un par de años más tarde me atrevería a decir que esa guerra no solo estaba en curso, sino que incluso nos deparaba alguna que otra victoria. Al menos así lo pensé al ver otro *spot* de Cruzcampo muy diferente al producido diez años atrás.

* * *

Enero de 2021. Terremotos en Granada, asalto estrafalario al Capitolio, montañas de nieve paralizan Madrid durante semanas... Y en medio de todo ese maremágnum, un anuncio. «Tú... ¿tú sabes por qué a mí se me entendió en todo el mundo? Por el acento». Es Lola Flores. O más bien parece serlo: la tecnología la resucita para hacerle declamar un monólogo que encaja perfectamente en el clima generado por la andalufobia que rezumaban las críticas al acento de la ministra Montero. La Lola *fake* explica que cuando dice «acento»: «no solo me refiero a la forma de hablar, que también». Es todo un discurso en torno a la identidad sobre el que se superponen ilustraciones del colectivo @hablatuandaluz que recuperan nuestro vocabulario junto imágenes de manifestaciones por el clima, de jóvenes tomando cervezas en su barrio, de calles cubiertas de grafitis, de conciertos en azoteas, de una chica montando a caballo en chándal por una feria desierta... Cuando la folclórica se pregunta si a todo esto se le llama *empowerment* y la joven cantaora María José Llergo le responde: «sí, pero tú siempre lo llamaste *poderío*», la conversación intergeneracional deviene un homenaje al feminismo andaluz y su reivindicación de conceptos y referentes propios en nuestras madres y abuelas. De fondo suena *L'ambôccá*, el primer single de Califato ¾ publicado aquel 4 de diciembre de 2018 en que las calles andaluzas volvían a arder contra el fascismo y por la autonomía más de cuarenta años después.

Cruzcampo siempre ha querido, de muy sevillanas maneras, presentarse como «la cerveza de Andalucía» y ha usado, consecuentemente, las señas de identidad andaluzas como reclamo publicitario. Si este *spot* supone un salto cualitativo es por el contenido que otorga a dicha identidad. Claro que está protagonizado por un icono folclórico, pero resignificado hasta el extremo de poner en su boca palabras que nunca dijo. La Andalucía que dibuja este anuncio no es el bufón orientalizante del franquismo, ni la tierra de oportunidades autocomplaciente y futurista de los *spots* de la Junta, pero tampoco es una víctima indefensa de la pobreza y el subdesarrollo. Es una Andalucía joven hasta la insolencia que responde orgullosa a los prejuicios contra ella, que no se calla ante los problemas que padece, que proyecta modernidad y futuro sin renegar de sus tradiciones, que «manosea sus raíces» para ponerse en vanguardia. Es la Andalucía *millennial*, la de su generación perdida que no se resigna a marcharse ni a perder su identidad a pesar de llevar más de deiz años encadenando una crisis detrás de otra —es decir, *Malviviendo*, como lo resumió en su título la serie puntera del *underground* andaluz en estos años—. Una juventud marcada por el millón de parados, por las ruinas del Algarrobico, por el 15M y las corralas, por la vergüenza de La Manada, por la gentrificación de nuestras ciudades, por el escándalo de los ERE, por la emergencia de Podemos y por la agonía del PSOE hasta la histórica victoria de las derechas en diciembre de 2018. Una juventud, en fin, que se está expresando culturalmente a través de un nuevo andalucismo[6].

6 Todo esto y algo más lo conté entonces en «El acento de una generación perdida», *Cuartopoder*, 23 de enero de 2021, disponible en https://www.cuartopoder.es/ideas/2021/01/23/el-acento-de-una-generacion-perdida/.

El *spot* impacta tanto por su contenido como por su continente: es la primera vez que el *deepfake* se emplea en España con fines comerciales. Durante días parece que no se habla de otra cosa. Llueven los elogios, pero también algunas críticas. Cruzcampo reivindica nuestra identidad con más orgullo y pasión que ningún *spot* institucional de la Junta, salvo por un pequeño detalle: que es una empresa propiedad de la multinacional Heineken, radicada en Holanda. Un meme del colectivo de diseñadores África del Norte, resume la contradicción con mucho sarcasmo: *¿Cómo se escribe «apropiación cultural» en andaluz EPA?* La vieja polvareda levantada por Rosalía un par de años atrás vuelve a manifestarse: que las señas de identidad andaluzas, en su versión más vanguardista, se conviertan en un producto de moda, ¿es un avance o un retroceso?

De hecho, la polémica es todavía más cruda en este caso, porque a diferencia de la aséptica y foránea Rosalía, en esta ocasión las acusaciones van dirigidas a artistas andaluces hasta ahora marcados por su compromiso social y político. Tiene menos resonancia, pero escuece mucho más, especialmente a los acusados. Ya lo había comentado alguna vez con él de pasada, pero decido preguntarle directamente a Curro Morales, uno de los miembros de Califato ¾, para que me cuente sus sensaciones al respecto. Pongámonos en contexto. Curro estudió ADE en Sevilla, pero pronto se orientó más bien hacia la economía más heterodoxa, implicándose en las luchas estudiantiles, el movimiento antiglobalización, el «no» a la guerra... Participó en grupos de investigación junto a economistas como Manuel Delgado u Óscar García Jurado que han profundizado en el análisis de Andalucía como periferia colonial, entró en contacto con los círculos académicos del andalucismo de izquierdas. Sus mayores esfuerzos los puso siempre, no obstante, en las trincheras de la «guerra cultural» de la que hablaba Ibán: ya fuera con la electrónica, el *hip-hop* o el *hardcore,* sus temas siempre tienen un fondo de crítica social en clave profundamente andaluza. ¿En qué momento acaba protagonizando alguien así un *spot* de una multinacional extranjera que expolia los recursos andaluces al tiempo que vampiriza su identidad?

Si aceptaron el encargo de la cervecera, confiesa, fue ante todo por motivos económicos, pero no solo: «Cruzcampo no es solo una marca, es un símbolo de Andalucía» y como tal se ha convertido, de Despeñaperros para arriba, en objeto de mofa y desprecio. Y una de las batallas centrales de la trinchera cultural es precisamente reivindicar símbolos denostados y darles la vuelta, apropiándonos de ellos con orgullo, me explica. Sé que no se está inventando excusas sobre la marcha: habla de ello en todas sus entrevistas y en los debates a los que se le invita. Y lleva tiempo poniéndolo en práctica: mucho antes de que la multinacional holandesa contactara con Califato, Curro ya había publicado un tema(zo) en solitario titulado *Crustcampo (Mahou diss)* en el que defendía las virtudes de la birra sevillana con la misma pasión con la que atacaba a sus detractores.

Parece ser que sus viejos maestros no lo entendieron. El antropólogo Isidoro Moreno, venerable pope de buena parte de las izquierdas andaluzas, criticó públicamente un anuncio «que responde perfectamente a la lógica de las grandes corporaciones trasnacionales de "pensar globalmente y actuar localmente"» y cuyo «objetivo es, una vez más, banalizar el andalucismo para abortar su fuerte potencialidad política y convertirlo en folklore amable, en un campo no conflictivo o, cuando más, en una simple cuestión de "acento"»[7]. No es nada raro que Isidoro sea tan pesimista en sus análisis, pero no por ello Curro dejó de sentir una cierta «decepción». Reconoce que hay un viejo debate de fondo acerca de si las herramientas del sistema pueden ser subvertidas o reapropiadas —luego volveremos sobre esto—, pero en todo caso, dice Curro, le da coraje que la vieja guardia, encerrada en su burbuja académica, rechace con tanto desprecio el éxito de tantos esfuerzos por devolver el orgullo de ser andaluza a una generación especialmente golpeada en su autoestima colectiva.

7 Frases extraídas de un post en su muro de Facebook que fue replicado en varios medios de comunicación. Puede encontrarse, por ejemplo, en la web de *La Voz del Sur*: https://www.lavozdelsur.es/opinion/sobre-identidad-andaluza_255189_102.html.

Y es que, si el anuncio se hubiera emitido en el momento de su grabación, en la primavera de 2020, se podría haber dicho que su éxito catapultó el de Califato ¾. Pero la pandemia retrasó tanto los tiempos que los de Califato tuvieron la oportunidad de darse a conocer por sí mismos mucho antes de que Cruzcampo los llevase a la tele. *L'ambôccá* había tenido buena recepción en la crítica musical y en el ambiente más andalucista, pero su siguiente álbum, *Puerta de la Cânne*, rompió moldes y barreras llevándolos de la Bienal flamenca de Sevilla al Sònar de Barcelona. Es un álbum de *hits* y, al mismo tiempo, uno de los productos más conscientes y políticamente explícitos del nuevo andalucismo cultural; hasta el punto de abrirse con un monólogo de Antonio Manuel, *Mençahe der profeta*[8], consagrado como referente intelectual del grupo, antes de irrumpir con toda solemnidad una marcha de Semana Santa que acaba convirtiéndose en una espectacular fiesta *breakbeat*. A día de hoy continúan llenando sala tras sala con la gira de su nuevo disco, *La Contraçeña*.

María José Llergo, por su parte, es una joven cantaora que, cuando se grabó el *spot,* apenas había publicado un par de sencillos en YouTube, pero más que suficientes para atraer la admiración de crítica y público. Emigrada a Barcelona desde su Pozoblanco natal, Llergo recuerda a la Rosalía de los inicios sin todo el artificio de sus obras posteriores. Su fama tampoco deja de crecer desde entonces: su single *La Luz* acumula más de un millón de visitas en YouTube y poco después publica su primer álbum. En sus videoclips, como en los de Califato, se advierte que Rosalía no tiene ya el monopolio de la calidad cinematográfica.

Surgen como setas nuevos grupos en esta órbita *neoandalucista*. Derby Motoreta's Burrito Kachimba recupera el sonido psicodélico y la pose macarra del rock andaluz de los 70; en la electrónica

8 En él se resuelve de forma magistral, por cierto, esa tensión entre un pasado idealizado y un futuro utópico que caracteriza, decíamos, la identidad andaluza moderna: «Andalucía no es una arcadia a la que regresar, sino un horizonte que perseguir. Yo no quiero volver a ser lo que fuimos; reivindico *volver a ser lo que somos* (...) un pueblo rebelde [...] que se sabe y se siente heredero de todo lo que hemos sido».

cobran fuerza la elegancia de Le Parody y el gamberrismo *ravero* de Volante de la Puebla; en la estela de Gata Cattana cantan otras raperas como Carmen Xía o Queralt Lahoz; la canción de autor(a) se renueva con la voz a veces guasona, a veces sentida, de María Peláe...

En el ámbito del diseño y las artes plásticas sucede algo parecido. @Hablatuandaluz comenzó como un provocativo proyecto final de grado: plagar las calles de Sevilla de carteles en los que se calificaba como incultos o catetos a personajes históricos andaluces como Lorca o Victoria Kent, para después sustituirlos por otros que reivindicaban con orgullo el vocabulario y las expresiones andaluzas. Después de esta presentación, su cuenta de Instagram no para de producir animaciones, vídeos e imágenes que se comparten masivamente. Fueron pioneros, pero cada vez se le sumaron más creadores gráficos que «manosean sus raíces» en busca de inspiración. Si echas un vistazo a los dibujos de @al_travaseo, la obra pictórica de @maria_melero, los azulejos de @puramanteca_bordados, los tatoos de @JLR_tatuaje o las láminas de @_AHRDE_ verás cómo, con todas sus diferencias, están generando una estética basada en la reivindicación, actualización y subversión de tópicos andaluces, de las modelos de Julio Romero de Torres a Curro el de la Expo o los personajes de Canal Sur pasando por la artesanía tradicional.

La propuesta EPA de escritura andaluza crece y consolida en el ámbito virtual con el aporte decisivo de *Andalugeeks*, «un grupo de profesionales de la informática, la programación, el diseño gráfico y las TIC que creamos, desarrollamos y gestionamos proyectos tecnológicos de código libre y abierto alrededor de la lengua, la educación y la difusión de la cultura andaluza»[9]. Crean un transcriptor castellano-andalûh en versión web y app, consiguen que el popular videojuego *Minecraft* acepte una versión traducida al andalûh, igual que la aplicación Telegram, donde también incluyen un *bot* transcriptor. Además, traducen la Wikipedia entera, diseñan un teclado EPA con diccionario predictivo, organizan cursos

9 «Quiénes somos» en su web: https://andaluh.es/es/quienes-somos/.

y conferencias... Todo ello sin recibir un solo euro de subvención pública. Gracias a todas estas facilidades, empiezo a leer muchos más acentos circunflejos y cedillas en mi entorno. Personalmente nunca he tenido la necesidad de escribir en andaluz, pero me alegra saber que contaré con esa herramienta si algún día quisiera escribir versos, letras de canciones o cualquier otra tarea para la que el castellano no encaje ni por rima, ni por métrica. Mucha gente seguirá viéndolo, qué duda cabe, como algo estrafalario, artificial, forzado... pero al menos lo ve; durante siglos, lo andaluz solo se ha oído: no me parece una diferencia menor. Y tampoco se lo parece, desde luego, al nacionalismo español: cuando la senadora Pilar González, en un debate sobre el uso de las lenguas cooficiales en la cámara alta, contó desde su escaño en qué consistía la propuesta EPA y se atrevió a aventurar que «llegará el día en que también se escribirá en andaluz», le llovieron las críticas de la forma menos civilizada posible. Escribir en andaluz se ha convertido, al parecer, en la forma más abyecta de romper (su) España. Tal vez por eso sea cada vez sea más frecuente ver pintadas en EPA por las calles[10]. La más clarificadora: *Êccribe n'andalûh manque çea por molêttâh*.

Hay, para mí, por último, una diferencia importante entre las discusiones en torno al *spot* de Cruzcampo, y el *affaire* Rosalía. Cuando escribí sobre este último dos años antes, un activista ligado a la izquierda andalucista comentó[11] que «tal vez el principal riesgo de este nuevo movimiento en construcción sea la atomización y el desarrollo fragmentado de esta corriente de pensamiento [...] no existe un foro unitario de discusión que permita

10 El principal artista urbano detrás de estas pintadas usa el pseudónimo de @pintarraheo en Instagram. Ha contado su inspiración y motivaciones en entrevistas como esta de la cadena SER, a la que acudió con capucha de nazareno https://x.facebook.com/radionopuedeser/videos/pintarrahe%C3%B4/1501465105321911/?_se_imp=1h6EivsKYoZUAnGqm o esta de Sevilla Secreta: https://sevillasecreta.co/pintadas-artista-callejero-anonimo/.

11 GARCÍA LERMA, M. «El 'nuevo andalucismo': de un bonito titular a un movimiento emergente», *La Marea*, 24 de agosto de 2018, disponible en https://www.lamarea.com/2018/08/24/el-nuevo-andalucismo-de-un-bonito-titular-a-un-movimiento-emergente/.

dar una coherencia a todas estas iniciativas, estableciendo las líneas mínimas de actuación, pero manteniendo la autonomía de cada proyecto». En 2021 quizá no exista ese foro unitario —si es que tal cosa es posible—, pero tampoco es ya un escenario de atomización absoluta. Existen grupos de Telegram con cientos de participantes, tertulias YouTube como *Café en andalú*, podcast como *A la fresquita*, blogs como *Pensar Jondo* en *El Salto*, encuentros feministas, centros sociales, grupos universitarios de investigación… Espacios, en fin, donde se presentan las novedades musicales o literarias, se comparten artículos y experiencias, se organizan campañas online, se difunden movilizaciones, se discute largo y tendido sobre política e identidad. Donde se construye colectivamente, en fin, una ética y una estética para el nuevo andalucismo. No sin conflictos, claro está.

* * *

Hace unos meses me entrevistaron para la revista *Vogue*. Estaban preparando un reportaje sobre «la revolución cultural andaluza»[12] en el que se recogían varias de estas iniciativas, correspondiéndome a mí situar esta eclosión artística en su contexto social y político. La pieza está hecha con muchísimo respeto, profesionalidad y hasta pasión, y el encontrar las mismas palabras que tantas veces había escrito en modestos diarios digitales de izquierda rodeadas de fotos de modelos y complementos de lujo me causó cierto orgullo, pero también inquietud. Por las mismas fechas, el tatuador JLR publicó en su Instagram una reflexión[13] que iba en la misma dirección:

> *He entendío mi obra […] como un medio de revisión y creación de códigos y referentes estético pa la transformación y reapropiación de los mismos […]. Pero el contexto anteriormente descrito es el propicio pa*

12 CORREA, A. «La revolución andaluza (de los artistas) que lo cambió todo», *Vogue*, 18 de agosto de 2021, disponible en https://www.vogue.es/living/articulos/revolucion-andaluza-arte-musica-analisis-politico.

13 Consultable en https://www.instagram.com/p/CSEIAojjwTy/?utm_medium=copy_link.

que prolifere con carácter productivo un mercado de merchandising que reproduce sin ninguna intención crítica ni transformadora los significantes, los referentes, las imágene y sentires que tanto nos ha costao poner en valor.

Pocos años atrás, con el objetivo de superar la marginalidad y obsolescencia de los discursos andalucistas clásicos y dotarnos de una identidad capaz de articular políticamente la Andalucía del siglo XXI, habíamos apostado a fondo por un nuevo andalucismo ligado a expresiones modernas y vanguardistas del ámbito cultural. ¿Hasta qué punto ese concepto se había emancipado de sus metas originales y se había convertido en una tendencia meramente estética o superficial?

Mi primera reacción al *spot* de Cruzcampo, tal vez excesivamente eufórica, fue tuitear: «Lo que algunos se niegan a ver en los estudios demoscópicos debe verse claro en los estudios de mercado. El nuevo andalucismo sigue al alza y Cruzcampo lo consagra». Como tantas veces sucede en la red social, el contexto —llevaba días discutiendo sobre la aparente ausencia de una mayor identidad andaluza en encuestas— se pierde por el camino. Alguien rescató mi *tweet* para calificarlo como «bastante desafortunado para el andalucismo. Y no por dicha afirmación en sí, sino por lo que lleva acarreado: la enésima recuperación de las luchas populares llevada a cabo por el gran capital a través de su mercadotecnia. Y es que lo que está en juego es nuestra capacidad de acción». Era Araceli Pulpillo, editora del femzine *Labio Asesino*, militante anarcosindicalista, colaboradora en varios medios y una de las más activas promotoras del feminismo andaluz. Como casualmente la había conocido hacía poco, decidí, mientras escribía este capítulo, hablar también con ella sobre esa «capacidad de acción» que, ahora sí, empezaba a preocuparme.

Como ya me pasara al hablar con el anónimo creador de memes, la entrevista con Araceli me descubre un universo de referencias y luchas que en buena parte desconocía. Pero estas batallas sí pueden situarse en los mapas con extraordinaria precisión. Me habla de ocupaciones de tierras, de resistencias a la privatización de espacios públicos, de recuperar las luchas olvidadas de las jornaleras de ayer y visibilizar las ignoradas de hoy... Si quiero encontrar el eslabón que ligue la revolución cultural andaluza con la revolución terrenal y cotidiana tengo que profundizar en el feminismo andaluz.

A finales de 2018 se celebró en el centro social malagueño La Casa Invisible el *FemFest*, un festival feminista cargado de charlas, talleres y conciertos. En aquel momento, en plena campaña a las elecciones andaluzas, ni me enteré de su existencia: como ya viene siendo habitual, la atención que prestaba a la política electoral era directamente proporcional a la importancia de los sucesos que ignoraba mientras tanto. Porque el de Málaga fue el primer encuentro de una serie de activistas, teóricas y creadoras que iban a generar unos espacios de reflexión tremendamente productivos desde unas lógicas muy diferentes a las del mercado, las redes sociales y la política institucional.

El feminismo andaluz como perspectiva teórico-práctica hunde sus raíces, decíamos anteriormente, en una determinada lectura de los feminismos decoloniales. Si Ibán Díaz definía Andalucía como una posición simbólica en el mapa político-cultural de España, la investigadora y activista gitano-andaluza Pastora Filigrana va a definir tal posición de una forma mucho más precisa[14]. La realidad socioeconómica andaluza —caracterizada por el peso desproporcionado del turismo, la minería extractiva y la agricultura intensiva y por unos niveles de pobreza y exclusión altamente feminizados y muy superiores a la media española— solo se sostiene, argumenta Filigrana, sobre «discursos de subalternidad cultural», esto es, sobre la *colonialidad*: «la idea hegemónica que mantiene que los territorios y grupos humanos, por su propia idiosincrasia tienen un lugar específico en el orden socioeconómico». Al asociar

14 FILIGRANA, P. «Descolonizar y despatriarcalizar Andalucía. Una mirada feminista gitana-andaluza», en OCHOA MUÑOZ, K. (coord.) *Miradas en torno al problema colonial. Pensamiento anticolonial y feminismos descoloniales en los sures globales*, Akal, 2019. Para profundizar, véase, de la misma autora, *El pueblo gitano contra el sistema-mundo. Reflexiones desde una militancia feminista y anticapitalista*, Akal, 2020.

la andaluzofobia al mito de la inferioridad civilizatoria por el cual Andalucía representa «una cultura no europea, no desarrollada y no moderna», Filigrana no solo nos señala las raíces de la ridiculización del habla andaluza, reducida a «una forma incorrecta e inferior de hablar el castellano»[15], sino que además indica un camino para salir del laberinto.

Siguiendo a Fanon, Boaventura de Sousa y Grosfoguel, Pastora plantea la hipótesis de que «aquello que nos reprimen es aquello que supone una amenaza para la supervivencia del sistema». Y que, por tanto, la mejor forma de combatir la andalufobia es preguntarse «qué atributos de las formas de vida de las mujeres pobres, racializadas y que habitan la periferia de Andalucía son los que el orden vigente necesita reprimir con mayor urgencia», porque esa es la kriptonita de la colonialidad:

> *... cuando (como mujer gitano-andaluza) apuesto por el trabajo cooperativo y la economía social, el decrecimiento, la autogestión de conflictos o las redes socio-afectivas basadas en el mutualismo de base o el apoyo mutuo, no estoy importando un modelo de emancipadores occidentales y blancos, sino que construyo desde mis propios referentes históricos y culturales. [...] Las mujeres andaluzas y gitano-andaluzas albergan en sus prácticas colectivas de vida estrategias de resistencia al capitalismo, al patriarcado y al colonialismo que deben ser pilares en los discursos y prácticas feministas. Es el momento de poner en valor esta herencia escondida bajo las categorías de no modernas o no desarrolladas porque en ella reside la potencialidad de las luchas venideras.*

Es en este punto donde cobra relevancia la labor de revalorización de la propia identidad a través de la construcción de una tradición de referentes propios que llevan años practicando las feministas andaluzas. Virginia Piña cuenta que, en 2017, durante la ocupación del Cerro Libertad —una finca abandonada, propiedad del BBVA, en Jaén— por el SAT, varias de las activistas allí presentes se

---

15 Sobre esta materia cabe destacar los trabajos del lingüista Igor Rodríguez Iglesias. Como muestra, el artículo «La vulgaridad lingüística revisitada» en *eldiario.es*, 6 de mayo de 2020, disponible aquí https://www.eldiario.es/andalucia/en-abierto/vulgaridad-linguistica-revisitada_132_5956496.html.

preguntaron por qué en el sindicato no tenían referentes femeninos cuando las mujeres siempre habían participado activamente en sus luchas. Nació así el proyecto *Mujeres andaluzas que hacen la revolución*, primero como página de Facebook[16], después editado e ilustrado como fanzine: una compilación de biografías que rescata del olvido las luchas de innumerables andaluzas a lo largo de la Historia. Junto a figuras clásicas como Mariana Pineda, la poetisa Wallada o la ilustrada Beatriz Cienfuegos encontramos «unas vidas y unas resistencias contrahegemónicas fraguadas en los campos, en los pueblos [...] en las cocinas, en los cuidados» como la curandera Ana de Jódar, perseguida por la Inquisición; como las «Cabras Montesas» de Gilena, jornaleras que en los años 70 ganaron con su lucha el derecho de las mujeres a percibir las prestaciones por el desempleo agrario; como Ana Orantes, la primera mujer en denunciar en televisión, un 4 de diciembre —otra vez— de 1997, los malos tratos a los que la había sometido durante décadas su marido, el mismo que habría de quemarla viva pocos días después, convirtiéndola en una mártir de la lucha contra la violencia machista. En la misma línea encontramos trabajos como el de la propia Araceli, centrada en recuperar la memoria de las sindicalistas andaluzas durante la Transición. Son ejemplos que, en palabras de Virginia Piña, «nos liberan de la visión androcéntrica de la cultura, la historia y la vida de Andalucía en general. Pero también de los discursos andaluzofóbicos que, desde el españolismo, nos cataloga como inferiores, incapaces o subdesarrolladas [...]. ¿Os imagináis a todas las andaluzas orgullosas [...] encontrando lo subversivo, lo común, lo anticapitalista, lo antifascista, lo antirracista, lo feminista en un patio con geranios y un vestido de lunares?».

Sí, lo del vestido de lunares también es relevante. Carmela la Candela y Noelia Cortés son las fundadoras del blog *Peineta Revuelta*[17], un espacio donde «poner en valor nuestras memorias rebeldes insertas en el flamenco», recuperando su carácter de «res-

16 Disponible en https://www.facebook.com/andaluzasyrevolucion/.

17 Disponible en https://peinetarevuelta.wordpress.com/.

puesta contracultural al capitalismo racista y machista» por parte del pueblo gitano, andaluz y afro contra su instrumentalización por el mercado. «Las mujeres flamencas con su poderío, sus tacones, sus palmas, sus cantes y su compás han inventado una forma propia de enfrentarse al patriarcado», y si el flamenco ha acabado siendo asociado, en el imaginario colectivo, al machismo, ha sido precisamente por su conversión en un producto de consumo. No es casual que fuese en este blog donde nacieron las primeras críticas a la apropiación cultural de Rosalía.

La recuperación del flamenco es una parte esencial de todo un proceso de reconciliación con la propia identidad, como bien cuenta Nanouk, la fundadora de la revista Lisístrata[18]:

> *Ya no escondo mi acento [...] porque el problema lo tiene quien piensa que mi discurso desciende de categoría si no pronuncio las eses. Estoy recuperando el tiempo perdido buscando referentes fuera porque no me había dado cuenta de que mis referentes estaban en casa [...] y el problema lo tiene quien sostiene que el fenómeno de la referencia no puede partir de la cotidianeidad y la periferia. Estoy escuchando la música que hasta ahora no había querido escuchar [...] y el problema lo tiene quien hace la reducción de «flamenquito, toros y olé» desprendiéndolo de toda su carga reivindicativa. Estoy valorizando todo a lo que le había quitado valor.*

¿Hasta qué punto existe un punto nostálgico en esta reivindicación de la tradición e identidad andaluza? El *post* del tatuador que comenté antes contenía una magnífica ilustración que representaba a Hércules y los leones vistos de espaldas y concluía: «De tanto mirá patrá se nos va a olvidar cómo avanzá». ¿Acaso no será el feminismo andaluz, o el nuevo andalucismo en general, una faceta más de esa idealización del pasado tan en boga estos días y que ha convertido a Ana Iris Simón en la musa de algunas izquierdas y muchas derechas? ¿De esa reacción conservadora al fracaso de las expectativas generadas por el 15M y Podemos?

---

18 La cita, como otras muchas no indicadas en este capítulo, proviene del monográfico sobre Feminismo Andaluz en *Labio Asesino*, disponible aquí https://issuu.com/labioasesinofemzine/docs/feminismo_andaluz_issuu.

En absoluto. Creo que Soledad Castillero lo explica mejor que yo:

> *Lejos de romantizar todo aspecto cultural y lejos de defender que lo cultural y tradicional deba mantenerse intacto, la andaluzofilia deja de demonizar por otro lado la comunidad, la saca de las cavernas y la sitúa en un contexto apto para entrar dentro de unos parámetros cómodos y necesarios. La andaluzofilia termina con la idea de que para ser feministas tenemos que desprendernos de todo aquello que nos recordase a nuestro «pasado», pues nos lo han tildado de machista, cutre, rancio, cateto, paleto y por tanto obsoleto*[19].

Sí, ambos proyectos pueden poner en valor la receta de gazpacho de tu abuela o su costumbre de sentarse a la fresca, pero la *andaluzofilia* tiene muy poco que ver con la idealización de un pasado fordista que nunca existió, especialmente en Andalucía. Y mucho menos con emplear esa nostalgia para renegar del antirracismo, el ecologismo o las disidencias sexuales o de género. Aquello que el feminismo andaluz pretende recuperar y conservar tiene como único propósito la transformación revolucionaria de una Andalucía tan nueva como nuestra, tan nuestra como nueva.

Porque el proyecto va mucho más allá de lo intelectual, de lo cultural, de lo virtual. Cuando Araceli hablaba de la «capacidad de acción» se refiere a una acción cotidiana, invisible, a un trabajo de hormiguita. Benalup-Casas Viejas es un lugar que simboliza como pocos la memoria de represión y dolor de las clases populares andaluzas, pero también de su resiliencia: prueba de ello es que hoy vuelve a existir un espacio feminista en el pueblo con el nombre de *Amor y armonía*, el mismo que tuviera el colectivo libertario de mujeres sanguinariamente reprimido en 1933. Es en ese espacio donde tiene lugar la primera presentación del fanzine *Labio asesino*, y la gira recorre así Andalucía, pueblo a pueblo, construyendo una red de colectivos feministas que vaya más allá

---

19 CASTILLERO, S. «Andaluzofilia, aquello que hemos sabido construir», *El Salto*, 4 septiembre 2019, disponible en https://www.elsaltodiario.com/pensar-jondo-descolonizando-andalucia/andaluzofilia-aquello-que-hemos-sabido-construir.

de lo meramente institucional y engarce con las prácticas comunitarias de autogestión de las mujeres andaluzas.

Y es que hace falta visibilizar, conocer y reconocer, representar esas luchas. Pero «si nos quitan el contenido político, se corre el riesgo de desactivar el potencial de esa visibilización», me dice Araceli a propósito de lo de Cruzcampo, considerando lo político desde una perspectiva activa, no basada en la representación, ya sea parlamentaria o estética. Aun si Netflix tomase, por ejemplo, la historia de las Cabras Montesas de Gilena para hacer una serie de épica feminista, insiste, nada cambiaría en el campo andaluz: lo único digno de celebrar sería que una cooperativa audiovisual formada por las propias mujeres rurales andaluzas fuese capaz de producir la serie y distribuirla por sus propios medios con el mismo éxito. En definitiva, el éxito de las nuevas representaciones de Andalucía, concluye Araceli, «es un síntoma, pero no una victoria».

Comprendo ahora mejor qué le molestó de mis alabanzas al *spot* —qué le molestará de este libro, tal vez—, pero no estoy seguro de compartir su celo revolucionario. Hace poco encontré mi agenda del año 2013, cuando vivía en Sevilla. No hay semana en que no tenga apuntadas un par de reuniones, ni mes sin su puñado de concentraciones y manifestaciones, ni trimestre sin viajar a Córdoba, Madrid o Zaragoza para algún encuentro, coordinadora o reunión conspirativa. Ahora me cuesta de veras pensar de dónde sacaba la energía para tanto activismo. Igual vivir en Madrid me está aburguesando demasiado, igual me estoy haciendo viejo. Me sigo moviendo en entornos bastante politizados, voy de vez en cuando a alguna manifestación, escribo y debato... pero echo de menos algo de acción, de planificar en colectivo algo más que un finde de casa rural. He intentado empezar a cambiarlo. Pero permitidme una última digresión.

* * *

Araceli me cuenta una anécdota que me obliga a reflexionar sobre este libro. «Presentando el fanzine por Andalucía hablamos de ocupar tierras, de soberanía alimentaria, de pérdida de espacios públicos... En cambio, la presentación en Madrid giró todo el rato en torno a Rosalía y la apropiación cultural». Reviso las páginas anteriores y compruebo cuánto espacio dedico a las batallitas culturales y cuán poco a peleas concretas, materiales. Lo que me lleva a preguntarme para quién estoy escribiendo este libro —¿va a leerse más en Madrid o en Andalucía?— y desde dónde lo escribo. Es un decir, claro, ya he contado que lo escribo en la capital, aunque los días libres que paso en Málaga también le doy un buen empujón; puedes comprobar también desde la primera página que este libro está impreso por una empresa salmantina por encargo de una editorial con sede en el madrileño barrio de Malasaña. A lo que me refiero es a desde qué lugar de enunciación escribo yo estas líneas.

La duda se amplía a si, en general, las producciones de los andaluces migrados deben ser consideradas endógenas o exógenas. Si tienen denominación de origen andaluza o son, más bien, como el gazpacho de la Esteban: productos elaborados en el exterior con inspiración y regusto andaluz. No es una cuestión baladí: la subalternidad cultural andaluza se ha debido históricamente, como bien señalaba Ibán Díaz, a que la imagen de Andalucía que los propios andaluces asumimos como propia es la de una otredad construida desde fuera, ya sea desde la condescendencia, el exotismo o el desprecio colonial. ¿También desde la idealización nostálgica?

Buena parte de las iniciativas que he contado en este capítulo nacen fuera de Andalucía. Empezando por el propio *spot* de Cruzcampo: su guionista, Juan Pedro Moreno, es de la Línea de la Concepción, aunque emigrase joven a Madrid para estudiar y trabajar en publicidad. María José Llergo comienza su carrera musical en Barcelona, donde sus primeras canciones surgen de una sensación muy concreta: «tu tierra te coge y te dice: "tú sigues siendo mía" [...] así que empecé a profundizar en mis raíces, que se me agudizaron más aquí». El ilustrador AHRDE, cuenta también que su peculiar estilo *flamencopunk* nació mientras estuvo emigrado en Madrid: «echar tanto de menos Andalucía hizo que buscara en mis ratos libres información sobre el folclore de nuestra tierra».

«La primera vez que comencé a pensarme andaluza como sujeto político estaba viviendo en Barcelona», cuenta Carmela Borrego. La sevillanísima cuenta de Malacara, en fin, nació mientras su creador trabajaba como *copywriter* en Madrid y su acidez anticentralista es inseparable de tal experiencia.

Pero la experiencia migratoria no implica solo la nostalgia del terruño. Es también una toma de conciencia de lo que supone ser andaluz, un descubrimiento de la posición simbólica de Andalucía, de lo que el resto espera de ti. Araceli me cuenta que viene de una familia andalucista y renegó de ello al iniciar su militancia anarcosindicalista en el movimiento estudiantil, pero que al llegar a Madrid se dio cuenta de que su acento no solo le reportaba malas puntuaciones trabajando en un *call center*, sino que también su propio modo de ser y expresarse levantaba suspicacias en colectivos feministas. La misma experiencia cuenta Nanouk: «cuando me mudé a la capital [...] me topé con espacios politizados en los que se suponía que no cabía la jerarquía, pero donde yo seguía siendo menos». Igor Rodríguez, el lingüista anteriormente citado, empezó a problematizar el castellano-centrismo desde su experiencia como actor de doblaje y realizando una etnografía de los locutores de radio andaluces en Madrid. Ana Burgos escribía en su blog, en 2014[20]:

> *Viviendo en Catalunya [...] me pasa que soy de fuera. A veces soy «española». A veces lo disimulo por esta cosa mía de imitar acentos. Pero la mayoría de las veces soy del sur, más concretamente, andaluza. Y eso (sí, podemos discutirlo mucho pero yo lo veo/siento bastante claro) me coloca en una posición de subordinación. Soy cateta, arrabalera, inculta y hablo alto. Y continuamente, a través de las estrategias más explícitas hasta las más sutiles, encarnadas y consustanciales a una estructura desigual de reparto de poderes –de condiciones de posibilidad–, se me insta a moderarme, a adaptarme a unas formas (por otro lado, ficticias y falaces) norteñas, por no decir catalanas, de interacción, comunicación,*

20 «El privilegio de poder pensarse (o la autorreferencialidad como privilegio)» en su blog *Heroína de lo periférico*, disponible en http://heroinadeloperiferico.blogspot.com/2014/10/el-privilegio-de-poder-pensarse-o-la.html.

> *expresión y ocupación del espacio y del tiempo. Se me insta a la corrección y se me aplaude cuando me alejo del charneguismo macarra con el que se me asocia a primera vista [...] Entonces me pasa que admiro, pero también «envidio» y siento ese corajito (*aka *«odio de clase») de que ellxs tengan tanto espacio para la autorreflexividad (autorreferencialidad?) y nosotras tan poco...*

Entonces, ¿en qué quedamos? Todas estas interpretaciones de Andalucía desde el exilio, ¿son endógenas o exógenas? La mejor respuesta, tal vez, la hubiera formulado ya la propia Gata al cantar, *aferrá* a su desarraigo, que «no escribo desde Madrid, escribo bajo su yugo». Y es que la experiencia migratoria ha sido para muchas y muchos de nosotros un proceso de desarraigo en el que, paradójicamente, han salido a relucir nuestras raíces: una desnaturalización necesaria para poder analizar, pensar y articular políticamente nuestra(s) identidad(es), para comprender mejor la subalternidad andaluza en su contraste con las capitales norteñas. Es precisamente al distanciarnos del territorio cuando nos damos cuenta de que estamos atravesados por él. Nos empezamos a descubrir colonia, en fin, cuando conseguimos entender la metrópoli.

* * *

Madrid, 19 de noviembre de 2020. Gran Vía, otra vez, pero en su extremo contrario al del Museo Chicote donde daba comienzo este capítulo. Desde que se implantaron las distancias de seguridad, cualquier cola parece inmensa vista desde fuera. Pero esta lo es realmente: casi da la vuelta a la manzana donde se encuentra el Teatro Coliseum. Somos cientos los que acudimos a ver un concierto de Califato ¾ que tenemos comprado desde hace casi un año. Estaba previsto para mayo y la pandemia lo ha retrasado varios meses. Ahora nos tocará verlo sentados en una butaca sin poder beber ni bailar, pero sin duda valdrá la pena. Es en esa cola que se hace eterna, repleta de jóvenes emigrantes andaluces, donde se nos ocurre la idea. Si cuando nuestros abuelos llegaban a Barcelona, a Suiza o a Alemania montaban una Casa de Andalucía para poder seguir celebrando sus ferias, compartiendo sus recetas, escuchando sus canciones… ¿por qué no montar nosotros una propia en Madrid? Aunque solo sea para tener un local propio donde poder celebrar el *afterparty* de conciertos como este cuando acabe el dichoso COVID.

Nuestra primera idea es contactar con las Casas de Andalucía que todavía se mantienen abiertas. No es fácil: por la edad de sus miembros, su presencia en redes sociales es más bien escasa, y las restricciones derivadas de la pandemia las mantienen sin actividad desde hace meses. Además, están situadas en la periferia madrileña, en los barrios y municipios donde se instalaron precariamente miles de familias andaluzas durante el siglo XX. Ahora, en cambio, la mayoría de los jóvenes andaluces que llegan a Madrid comparten piso en zonas más o menos céntricas, cerca de las oficinas donde han venido a «trabajar de lo suyo», principal motivación para venir a la capital. En todo caso, la actividad de las asociaciones andaluzas del siglo pasado nos parece demasiado propia del siglo pasado: autobuses al Rocío, quedadas para ver los toros, talleres de sevillanas… No es precisamente el lugar donde montar una fiesta *breakbeat*. Queremos un espacio donde sentirnos en nuestra propia casa, no en casa de nuestros abuelos, por mucho cariño que les tengamos. Habrá que empezar, pues, de cero.

Empezamos a contactar a colegas andaluces en Madrid y les animamos a difundirlo, a su vez, entre sus grupos de amigos. «A Madrid hay que ir, pero no hay que irse», dice siempre Manu Sánchez, pero para muchos andaluces —casi 150 000 en la última década, según el IECA— esta afirmación es más un deseo que una posibilidad. Periodistas, diseñadoras gráficas, expertos en redes sociales, informáticos, sanitarias contratadas como refuerzo COVID, ingenieros, funcionarias, artistas… nos encontramos en este proyecto después de meses encerrados en una burbuja. Formamos un grupo de Telegram y, cuando tenemos un grupo motor de unas treinta o cuarenta personas decididas, organizamos una asamblea virtual en la que empezar a definir algo mejor el proyecto, que ni siquiera tiene todavía nombre.

En nuestra asamblea fundacional acordamos crear «lugar de encuentro para discutir y remediar nuestros problemas y, sobre todo, para celebrar nuestro orgullo de ser quienes somos [...]. Por eso hemos querido darle el nombre de *peña*, porque si algo echamos de menos en la capital es esa forma de construir comunidades para la celebración de las fiestas, sabiendo que también estarán ahí para aliviar los pesares»[21]. Creo que la idea de inspirarnos en las peñas flamencas que tomaban el nombre de un cantaor fue de mi amigo Nico López. Pero, en lugar de un cantaor, tomamos el nombre de «la Gata», evidentemente por Gata Cattana —pionera en tantas cosas, incluido el ser referente andalucista viviendo en Madrid—, pero también por el juego que daba lo «gato» como gentilicio madrileño. La votación es rotunda: seremos la *Peña Andaluza La Gata*.

No es fácil empezar un proyecto ligado a la identidad y el territorio en tiempos de pandemia. Durante meses, nuestros encuentros y eventos son virtuales; organizar nuestra primera fiesta digna de tal nombre está siendo difícil. Es frustrante, pero los trámites para montar una asociación no son precisamente rápidos y, cuanto antes comencemos nuestra actividad, antes podremos ganarnos el derecho a pedir locales, participar en foros, ser reconocidos como «comunidad andaluza en el exterior» por la Junta. Estos primeros meses nos están sirviendo, al menos, para conocernos, para conectar con gente con problemas e inquietudes parecidas, para encontrar a alguien con quien ir a un concierto, para organizar juntos una compra de garrafas de aceite, para compartir con los demás en qué carnicería comprar los huesos añejos para el puchero, para echarle una mano a quien acaba de llegar y busca piso o curro.

Una de las actividades más bonitas que se han organizado ha sido un *charloteo* virtual sobre «Andaluzofilia y andaluzofobia». El concepto de «andaluzofilia» lo acuña la antropóloga Soledad Castillero para expresar, desde su propia experiencia, cómo la

---

21 «Presentación» de la Peña Andaluza La Gata, disponible en su web https://lagataandaluza.com/presentacion/.

revuelta feminista contra la andaluzofobia ha acabado generando una filia...

> *...un patio común, una casa con patio donde conversar, donde las historias de tantas mujeres se han puesto a dialogar, a reconocerse, a identificarse [...]. La andaluzofilia muestra que para ser una referencia de aprendizaje no es necesario estar en un artículo académico, puesto que esa referencia puede ser encontrada en la pescadería, en la plaza o al laito tuya [...]. La andaluzofilia, y esta es la parte que más me convoca, ayuda a retroceder en el mejor de los sentidos. En apaciguar las ganas de seguir adelante como norma desarrollística sin saber si lo que se está acometiendo es una huida. Por eso esa filia, ese amor que desde Andalucía las mujeres hemos sabido poner a dialogar, es tan crucial pues simboliza ese alto en el camino.*[22]

Después de años de campañas electorales, de épica, de conspiraciones, de grandes hipótesis, de giros de guion... yo también necesitaba ese alto en el camino. Estoy orgulloso de haber ayudado, feliz de estar ayudando a construir con la Peña un patio así. No se me ocurre un sitio mejor en el que invertir mi tiempo. Porque la década de los 2020 en Andalucía —ya lo hemos visto— promete ser prolífica en lo cultural y en lo social, pero en lo político... Ay, lo político.

22 Ver nota 15.

Al final siempre ganan los monstruos

Juarma, 2018

Puerto de Málaga, una mañana de primavera de 2019. Está atracando el Melillero, el ferry que viaja diariamente a la ciudad autónoma. Una pareja de adolescentes escapa a la carrera de la terminal de pasajeros. Dos monjas les persiguen: una de ellas lleva una espada a la espalda, la otra un par de escopetas recortadas. La huida por los muelles termina en una nave industrial en la que, de repente, aparece un monstruo demoníaco. ¡Corten!

Estamos en el rodaje de *La monja guerrera*, una fantasiosa superproducción de Netflix dirigida al público adolescente. Se basa en un viejo cómic que situaba la acción en Nueva York, pero, por algún motivo, Netflix decide adaptar el guion para que tenga lugar en Málaga. Muy resumidamente: una adolescente tetrapléjica de un orfanato de monjas inglesas —lo que hoy es el centro cultural de La Térmica— es asesinada por una de las religiosas, pero otras esconden en su cadáver una especie de aro mágico que no solo la resucita y le devuelve la capacidad de caminar, sino que además le otorga superpoderes. La chica se convierte en el objetivo de una orden secreta de monjas guerreras —con sede en Antequera— y de una megacorporación maléfica que está construyendo un portal interdimensional en el Parque Tecnológico de Campanillas. Conoce a unos estafadores *raveros* que viven como okupas en un lujoso chalé en Marbella y se enamora de uno de ellos, pero un demonio la obliga a escapar a Ronda, donde hay algo así como un apocalipsis *zombie*. Y todo esto en los primeros cinco o seis capítulos, porque no vi más. Ah, y en la banda sonora, Rosalía.

Es delirante, sí. Pero también representativo de una de las tendencias más importantes en la Andalucía de la última década: la creciente visibilidad de Málaga como flamante metrópoli cosmopolita que va dejando atrás a sus otrora rivales Sevilla y Granada en la carrera hacia la ansiada modernidad. Algo que no va a pasar desapercibido en términos políticos ni culturales.

* * *

Mi familia materna llegó a Málaga desde Melilla a mediados de los años 40 en la versión *vintage* del ferry que aparece en la serie. Alquilaron una casa en la Malagueta, un barrio cercano al Puerto entonces poblado por marengos, estibadores y obreros de industrias como la central eléctrica cuyos restos todavía reposan junto a la plaza de toros. Durante la adolescencia de mi madre, en los años 60, el barrio inició una profunda transformación, llenándose de altos bloques de viviendas para gente de todavía más alta clase social dispuesta a joder para siempre el *skyline* de la ciudad con tal de conseguir vistas al mar. Las estrechas playas de pedruscos empezaron a recubrirse y ampliarse anualmente con arena dragada del fondo marino. Llegaron las guiris, las discotecas y los chiringuitos. Mi tía abuela siguió viviendo allí durante décadas, comprando en el mismo ultramarinos y la misma pescadería que la recibieron al llegar, hasta que a principios de los 2000 el propietario del edificio la expulsó para levantar otro edificio horroroso. La Malagueta estaba para entonces más que consolidada como barrio residencial de alto estatus.

Veinte años después, no son ya turistas ni malagueños solventes quienes están transformando la Malagueta. Son multinacionales como Google, que anunció recientemente su intención de abrir en el Paseo de la Farola un «centro de excelencia para la ciberseguridad», sumándose luego otras como TDK y su nuevo centro de inteligencia artificial o Vodafone, que planea un nuevo *hub* de I+D en la ciudad. Las inmobiliarias están sorprendidas —y encantadas, claro— del interés que despierta entre las tecnológicas esa zona en forma de U formada por la Malagueta, el casco histórico y su ensanche cercano al Puerto, llamado rimbombantemente *el Soho* desde hace unos años. Una «U» que tiene su centro en el mar, al final de un dique que se aleja casi dos kilómetros de la costa, donde inversores qataríes pretenden levantar un hotel de lujo de 130 metros de altura. Es el rascacielos más polémico, pero no el único: en antiguos terrenos industriales situados Guadalmedina arriba y en el extremo occidental del municipio se planean nuevas torres.

¿Hay demanda para tanta torre y tanto hotel, teniendo en cuenta el estancamiento del sector turístico desde el inicio de la pandemia? Pues eso parece. Mientras la guadaña de la COVID diezmaba la población española, Málaga fue la provincia con mayor crecimiento poblacional. A pesar de que la destrucción de empleo y riqueza fuese una de las más graves del país, miles de profesionales y directivos decidieron mudarse a teletrabajar al sol; además, el Brexit animó a empadronarse a un gran número de británicos que, en la práctica, ya vivían allí desde hacía años. Los nuevos residentes, a su vez, están generando demandas que teóricamente harán florecer otros sectores...

Andalucía va bien se convierte en un mantra para los diarios conservadores. En un editorial, *ABC* considera que «el cambio político experimentado en Andalucía [...] es digno de elogio. Su actividad económica se ha multiplicado y crece la percepción de que ha dejado de ser aquel eterno cortijo de votos cautivos que manejaba a capricho el PSOE, tejiendo redes clientelares basadas en el amiguismo. En eso consiste precisamente la competitividad»[1]. Cristian Campos, jefe de Opinión de *El Español,* va todavía más allá:

1 «Andalucía ya supera a Cataluña», editorial de *ABC,* 2 de agosto de 2021. Disponible en https://www.abc.es/opinion/abci-editorial-abc-andalucia-supera-cataluna-202108012144_noticia.html.

> *Andalucía ha sido durante los últimos cuarenta años la China española. Un gigante maniatado por una ideología obsoleta y lastrado por una corrupción estructural corrosiva [...]. Durante cuatro décadas, la tesis del subdesarrollo estructural andaluz fue esgrimida por sus principales responsables como una maldición gitana que solo podía ser conllevada con asistencialismo, paternalismo y mucho folclore televisivo [...]. De acuerdo con esa tesis, el atraso andaluz no era coyuntural, sino estructural, y solo el socialismo podía aliviar en cierta medida la situación mediante la creación de un régimen clientelar en la región que aliviara, pero no solucionara, el problema.*[2]

Málaga es a la vez, continúa Campos, el motor y la prueba del «despertar de Andalucía»: «ninguna otra ciudad española tiene como tiene Málaga el potencial para ocupar el vacío que ha dejado (por decisión propia) Barcelona como segunda ciudad española». Porque, ojo, estos elogios al crecimiento andaluz no tienen lugar en el vacío: se subraya su contraste con el supuesto estancamiento de Cataluña y País Vasco —interpretado como castigo divino por su desviación nacionalista— y se idealiza su simbiosis con el crecimiento madrileño, faro liberal por antonomasia. «Málaga va a ser junto a Madrid la capital más importante de España», exclama pletórico Pedro Jota Ramírez durante la presentación de su primera cabecera andaluza, el digital *De Málaga*. En Canal Sur, nuevos tertulianos entre los que se encuentra el propio Cristian Campos, machacan día a día un argumentario sencillo y efectivo que dibuja Andalucía como una bella durmiente aletargada durante décadas por el veneno socialista y despertada por el beso de los valientes caballeros malagueños del PP.

Porque es, en efecto, el PP malagueño quien acapara hoy los puestos de mayor importancia en la Junta de Andalucía, como no dejan de señalar, indignados, los columnistas sevillanos de toda la vida, con independencia de su filiación política. Son dirigentes

---

2 CAMPOS, C. «España gira al sur: 22 razones por las que Andalucía es la comunidad del futuro», *El Español*, 24 de julio de 2021, disponible en https://www.elespanol.com/opinion/tribunas/20210724/espana-gira-sur-razones-andalucia-comunidad-futuro/598810118_12.html.

crecidos a la sombra de Paco de la Torre, invicto alcalde de la ciudad desde que Celia Villalobos dejara su puesto en 2000 para ser ministra de Sanidad en el Gobierno de Aznar. De la Torre encontró al llegar a la alcaldía una ciudad anodina y descuidada en la que los turistas solo aterrizaban de camino a Marbella o Torremolinos. Todo cambia con el Museo Picasso. Se despliegan kilómetros de paseo marítimo de un extremo al otro del municipio, se peatonaliza calle tras calle casi todo el casco histórico, llega el AVE y le siguen más museos —¡un Thyssen!— y arriban los cruceros a un renovadísimo puerto comercial y se inaugura el metro; el Festival de Cine cada año está mejor, pero que no falten museos —¡un Pompidou!— y vengan hoteles, y más AVEs, y un Museo-Ruso-de-San-Petersburgo —¡por qué no!— y ve preparando dos líneas más de metro mientras abrimos un teatro a lo Broadway, que para algo tenemos a Antonio Banderas, y a ver si conseguimos abrir un Hermitage, y ahí me pones un rascacielos, o dos, si caben…

Nada distinto, en el fondo, al *boom* vivido años atrás en Barcelona, Madrid o Valencia, salvo por dos detalles. El primero, que para el despegue malagueño no hacen falta macroeventos ni macrodeudas: la ciudad se transforma año tras año sin una triste Olimpiada, sin aspirar siquiera a una Expo, sin proyectar Eurovegas, sin visitas del Papa ni premios de Fórmula Uno, lo que ciertamente mantiene saneadas las cuentas públicas. Y el segundo detalle es que toda esta revolución inmobiliaria malagueña no va aparejada —al menos por ahora— a ninguna macrocausa judicial. Sobre Paco de la Torre no ha recaído, en veintiún años de mandato, ninguna sospecha seria de corrupción. Y no han sido dos décadas cualesquiera: han sido los años de la Operación Malaya, de los ERE, de la Gürtel, de la Púnica, del caso Bankia… veintiún años en los que la práctica totalidad de la dirigencia de su partido, ya fuera a nivel estatal, autonómico o local —igual en Madrid que en Granada, en Valencia que en Almería—, se lucraba a manos llenas antes de terminar su carrera política compareciendo ante algún tribunal y/o en algún consejo de administración.

La honradez no es la única virtud que hace de Paco de la Torre una *rara avis* dentro del Partido Popular, también su moderación y talante democrático. Antes incluso de que se aprobara la Ley de Memoria Histórica, el Ayuntamiento de Málaga ya había comenzado a financiar la exhumación de los fusilados del Cementerio de San Rafael, la mayor fosa común de Europa. Mientras otros alcaldes del PP destruyen a martillazos los homenajes a las víctimas del franquismo, De la Torre levanta monumentos en su honor y pone en valor la recuperación de la memoria como un elemento imprescindible para la cohesión social. Su carácter afable y su respeto con la oposición le granjean la simpatía de líderes aparentemente tan dispares como Manuela Carmena, que llegó a decir que votaría por él si viviera en Málaga en una entrevista que ambos protagonizaron en El Intermedio. Pero no son todo luces en la gestión de Paco.

«Vivimos en un lugar que no es nada: derribo de lo que fue, andamio de lo que será». Lo escribió Chirbes en *Crematorio*, pero pocas frases resumen mejor la condición malagueña que esta sentencia referida al País Valenciano, tan cercano a la Costa del Sol en tantos sentidos. Los andamios del museo Picasso se levantaron sobre el derribo de las calles de la Judería, donde tuve de niño mi local *scout*, igual que el horrible Museo del Patrimonio Municipal se alzó sobre los restos del barrio de la Coracha, en una de las operaciones de destrucción creativa más absurdas que cabe imaginar. Los andamios, en fin, que hoy anticipan el gran hotel de Rafael Moneo a orillas del río Guadalmedina se levantan sobre las ruinas de un palacete decimonónico derribado hace apenas un año. Y es que, si en la segunda mitad del siglo XX el desarrollismo había hecho estragos en el los barrios históricos malagueños hasta hacer completamente insospechado el pasado trimilenario de la ciudad, el proyecto de Málaga como epicentro del turismo cultural en las dos últimas décadas se ha demostrado capaz de seguir destruyendo nuestro casco histórico a un ritmo todavía más rápido[3].

---

3 El estudio «Geografías del desastre» de Anton Omozek ha cifrado en un 25% del total la destrucción del patrimonio histórico malagueño en lo que llevamos de siglo. Puede consultarse en su blog https://bodrios-arquitectonicos-centro-malaga.blogspot.com/2011/06/geografias-del-desastre.html#more.

Los viejos corralones y palacios se siguen condenando sistemáticamente al abandono y posterior demolición, pero ahora en su lugar se levantan edificaciones más adecuadas a usos hoteleros, comerciales o suntuosos que mantienen y restauran, eso sí, parte de la fachada original. Este *fachadismo* ha convertido nuestras calles en una aldea Potemkin por la que, en lugar de zarinas, solo desfilan turistas... y procesiones. Las propias cofradías, que en otros lares actúan como agentes conservacionistas en sus barrios, aunque solo sea por mantener la estampa del Cristo o la Virgen cruzando un viejo callejón pintoresco, en Málaga aceptan con agrado derribar manzanas enteras para sustituirlas por un cubo blanco, siempre que se les ceda una parte como casa hermandad. Y mientras el centro se turistifica perdiendo su población y su esencia, los barrios se gentrifican por el desplazamiento y encarecimiento del vecindario: Málaga es, tras Palma de Mallorca, la capital donde más han crecido los alquileres en los últimos cinco años, y la cuarta provincia donde más se paga por la vivienda, a pesar de que su salario medio sea 3000 € inferior a la media nacional. Este desequilibrio es imposible de disociar del crecimiento de la desigualdad: el índice de Gini malagueño es de 0,47, 14 puntos por encima de la media española.

Derribos y andamios, y más andamios y más derribos, de pocas manzanas o de barrios enteros, hasta el punto de hacer irreconocible el trazado original de la ciudad. Mis abuelos paternos vivían en Lagunillas, un barrio popular, cercano al centro, que sufrió especialmente la degradación urbana de los años ochenta y noventa: leo en Wikipedia que el 57% de sus habitantes no tiene estudios y el 14% es analfabeto; la Unión Europea lo incluye dentro de su categoría «barrios marginales». Recuerdo que ya de pequeño comprendía que era zona peligrosa porque solíamos ir en coche, aunque no viviéramos lejos. Recuerdo también la casa, con su hermoso y florido patio, donde siguió viviendo una tía mía muchos más y que acabaría siendo derribada como tantas otras casas de la zona. A día de hoy, ni siquiera consigo ubicar el solar donde se levantaba. Tal vez sea ese bloque de apartamentos turísticos, o ese descampado donde algunos vecinos han montado un huerto urbano —se nota que desde hace unos años llega otro tipo de vecinos al barrio—, pero lo más probable es que sea alguno de estos solares vacíos cuyos muros están cubiertos de pintadas.

Mientras busco la casa de mi abuelo encuentro, entre los omnipresentes grafitis, unos curiosos murales con grandes estrellas de ocho puntas —la estrella tartésica que tradicionalmente se ha asociado al nacionalismo andaluz— que muestran en su interior a la Veneno, Chiquito de la Calzada, Camarón o la Virgen del Rocío. Son una intervención de Caye Villodres, un historiador del arte de 21 años, que el 4 de diciembre de 2020 los pega por todo el barrio con la intención de «lanzar a la calle esos referentes andaluces que tengo [...] [y que] son capaces de reunir las sensibilidades y gustos de personas muy diversas. Al final todo desemboca en lo sociocultural andaluz»[4]. Es una pena que no los colocara antes: en estas mismas calles se rodaron, meses atrás, buena parte de las escenas del spot de Cruzcampo, aunque Villodres todavía no podía saberlo. Es solo una coincidencia, sí, pero también apunta a estos barrios, estas zonas en transición entre el derribo y el andamio, como el hábitat más propicio para la eclosión del nuevo andalucismo.

Me explico. Creo que las expresiones culturales —pero también sociales y políticas— neoandalucistas expresan de algún modo ese interregno entre lo que ya ha sido derribado y lo que está por construir. Un cierto *zeitgeist* que combina la conciencia de haber vivido —de estar viviendo— un desplome, el final de una era, y al mismo tiempo la voluntad de enfrentarnos a lo desconocido sin hacer tabula rasa, recuperando de las ruinas cuanto pueda ser de valor para los andamios del mañana. «Hemos construido una cabaña con la leña que fuimos a buscar para meterle fuego», recita Esteban del Califato en su enigmático *Lentehâ d'ayêh*. El nuevo andalucismo no es una reproducción escala 1:1 del viejo patio de mis abuelos, pero tampoco el futurista cubo acristalado que se levantará mañana en su lugar. Es más bien ese lapso entre ambos en que el solar

4 Declaraciones en artículo «Los iconos de la cultura andaluza asoman por Lagunillas» en *Diario Sur*, 23 de enero de 2021, disponible en https://www.diariosur.es/culturas/iconos-cultura-andaluza-lagunillas-20210120110220-nt.html.

se reutiliza como huerto comunitario y sus muros se convierten en libérrima galería de arte: una deconstrucción subversiva que juega con los cascotes del pasado como con un puzle en el que proyectar una multitud de futuros posibles. La reivindicación contemporánea de la identidad y la tradición puede parecer nostálgica, pero tiene mucho menos de añoranza por el pasado que de ambición futura.

Esto me lleva a preguntarme si esa despreocupación, ese descuido malagueño hacia su patrimonio, sus tradiciones, su pasado… no es solo fruto del extractivismo turístico y la especulación urbanística. O más bien, si aun siéndolo, no se ha retroalimentado con algo más que ya estaba ahí. Con un deseo permanente de huir hacia adelante, un ansia de novedades, una necesidad continua de reinventarse, de derribar cuanto sea necesario para poner los andamios de algo mayor. Por alguna razón, el Teatro Romano malagueño fue abandonado en el siglo III y reconvertido en almacén de salazones; sus grandiosas columnas acabarían usándose siglos más tarde como material de construcción en la vecina Alcazaba. No, Málaga no puede sentir la nostalgia de Córdoba por su esplendor califal, ni guarda el recuerdo de la grandeza barroca de Sevilla, ni llora como Granada por su *belle époque* nazarí. De su historia, una sucesión de etapas de crecimiento acelerado y bruscas crisis devastadoras, siempre al albur de la economía global, Málaga ha sacado en claro que, más que de volver a ser lo que fuimos, se trata de poner a Dios por testigo de jamás volver a pasar hambre.

* * *

Esta es la Málaga de Paco de la Torre, esta es la escuela de Juanma Moreno. Una perspectiva de la tradición y del progreso, de Andalucía y de la modernidad muy distinta a la que tuvieron otros dirigentes conservadores demasiado cercanos, en el fondo, al folklore tradicionalista del PSOE sevillano. ¿Tan diferente como para poner los andamios de una nueva identidad andaluza sobre los cascotes del derribo socialista? Este parece ser el gran reto de Juanma.

Pocos días antes del 28F de 2021 se hace público un estudio del Centro de Estudios Andaluces sobre «Identidad de Andalucía», encargado por el propio Gobierno, en el que se reflejan datos interesantes[5]. Contrariamente a lo que pudiera hacer sospechar el aparente auge de Vox, la identidad andaluza goza de buena salud. No es solo que el sentimiento de identificación con Andalucía, su bandera y su himno vayan parejos a los de identificación con España y sus símbolos. Es que el 31% de los entrevistados considera que Andalucía sigue teniendo «un nivel insuficiente de autonomía», frente a un exiguo 5% que lo considera demasiado —el 60% restante cree suficiente el actual autogobierno—. Los continuos desmarques de Juanma respecto a la cruzada ultraderechista contra la autonomía andaluza y sus símbolos tienen buena razón de ser.

Pero es que, además, hay algo con lo que los andaluces se identifican más que con ningún símbolo ni institución, según esta encuesta. El 91% de la población andaluza afirma sentirse «identificada» o «muy identificada» con su acento y el 38,6% afirma sentir «enfado» cuando lo critican. El trabajo de campo, casualmente o no, tuvo inicio apenas un par de semanas después del estreno del anuncio de Cruzcampo. Precisamente por eso resulta del todo incomprensible el *spot* con el que la Junta felicitó el 28F ese mismo año. En él, un narrador recita los versos del himno, en «castellano neutro» —que tiene nombre de lejía, como bien dice el *moranco* Jorge Cadaval— sobre unas imágenes de archivo que asocian sus palabras a la superación de la pandemia en términos sanitarios y económicos: *Andaluces, de nuevo, levantaos* es el eslogan. Es muy muy cutre, pero tanto en el fondo como en la forma sigue la misma línea de los *spots* de anteriores Gobiernos. La diferencia es que, esta vez, la ausencia de la blanca y verde y, sobre todo, del acento andaluz levantan un revuelo inusitado. El mejor resumen, al menos para mí, de dicha polémica lo hizo mi amigo Cañero en un *tweet:* «El "¡Andaluces levantaos!" puede ser la arenga de una

5 «Identidad de Andalucía. Estudio demoscópico Especial 28F», del *Centro de Estudios Andaluces*, 24 de febrero de 2021, disponible en su web https://www.centrodeestudiosandaluces.es/barometro/identidad-de-andalucia.

voz hermana o entenderse como una orden del señorito. Cuestión de acento, de habla. Es triste que una cervecera capte mejor el sentimiento andaluz que la mismísima Junta de Andalucía».

Ya habían infravalorado, en el patinazo del escudo, el apego a unos símbolos que los andaluces asocian, por encima de a ninguna otra cosa, a «la familia y los recuerdos de la infancia» —las mañanas de pan con aceite y flauta no se olvidan fácilmente— y ahora, esto. Si Juanma Moreno quiere, como Feijóo, ser identificado con Andalucía más que con las siglas de su partido y, sobre todo, si quiere que Andalucía se identifique plenamente con su proyecto —antagónico a los cuarenta años de autonomía *made in PSOE*— le queda mucho trabajo por delante. Tiene ideas, pero necesita legitimarlas con viejos referentes, amalgamarlas con nuevos símbolos.

El 14 de junio de 2021 fallece Manuel Clavero Arévalo. Quien fuera rector de la Universidad de Sevilla durante los agitados años del tardofranquismo había fundado en 1976 el Partido Social Liberal Andaluz, poco después integrado en la UCD. Clavero será ministro de las Regiones del gabinete de Adolfo Suárez —suya fue la afamada expresión del *café para todos*— y, como tal, principal artífice del artículo 151 que permitiría el acceso de Andalucía a la autonomía plena a través de un arduo proceso que tendría en el referéndum del 28 de febrero de 1980 su momento clave. Cuando la UCD se posicionó contra el referéndum e hizo boicot al mismo, Clavero Arévalo dimitió de todos sus cargos en el partido y en el Gobierno. A pesar de lo épico de su gesto, su intento de construir un nuevo partido (Unión Andaluza) para agrupar al andalucismo de centro-derecha acabó en rotundo fracaso: ni siquiera obtuvo la financiación necesaria para presentarse a las primeras elecciones al Parlamento Andaluz. Decepcionado, abandonó la vida pública durante las cuatro décadas que el Partido Socialista habría de gobernar Andalucía, cayendo poco a poco en el olvido.

El rescate de Manuel Clavero por parte de Juanma Moreno comienza el mismo día de su toma de posesión: a él dedicará su primera visita oficial como presidente. Poco tiempo después anuncia que una de las medallas de Andalucía llevará su nombre. Pero solo será con su muerte cuando Clavero se convierta abiertamente en el principal icono andalucista de Juanma, que pondrá su nombre a la sala de gobierno de San Telmo, lo bautizará como «padre de la Andalucía moderna» y se declarará «descendiente político» de su figura. En un encendido obituario publicado en *El País,* el propio Juanma explica con inusitada claridad su voluntad de identificación con Clavero:

> *El primer gesto, como la primera visita que realiza un presidente después de su investidura, está siempre cargado de simbolismo. Yo quise que mi primera aparición pública tras ser investido presidente de la Junta de Andalucía también lo estuviera y, por eso [...] visité en su domicilio de Sevilla al catedrático Manuel Clavero Arévalo [...].*
>
> *Aquel no era, claro, un gesto inocente ni vacío. Clavero significaba para mí, para todos los andaluces, el faro iniciático que nos iluminó en los tiempos agitados de la Transición. El hombre tranquilo que, con la moderación como arma y la paciencia como instrumento, mostró a los andaluces el camino para alcanzar el lugar que por historia y por relevancia nos correspondía [...].*
>
> *Si Blas Infante puso las bases teóricas de un autogobierno andaluz y por eso le llamamos Padre de la Patria Andaluza, don Manuel Clavero merece, sin duda, el título de Padre de la Andalucía moderna.*[6]

Hasta entonces la familia andaluza había sido monoparental, con Blas Infante como único «Padre de la Patria», título otorgado por el Parlamento en 1983. Definir a Clavero —y no, por ejemplo, a Rafael Escuredo, primer presidente electo de la Junta— como «padre de la Andalucía moderna» permite, primeramente, definir

6 MORENO BONILLA, J. M. *Manuel Clavero, andaluz ejemplar*, *El País*, 14 de junio de 2021, disponible en https://elpais.com/espana/2021-06-14/manuel-clavero-andaluz-ejemplar.html.

la nueva Andalucía como algo diferente al Partido Socialista, pero también al Partido Popular y hasta a la UCD; como algo que, de hecho, está por encima de los partidos y solo se debe al liderazgo paternal de los «hombres tranquilos». Segundo, asocia íntimamente «la Andalucía moderna» a la defensa de la Constitución del 78, la monarquía y el estado de las autonomías que Clavero construyó. Y tercero, redefine los propios fines de la autonomía andaluza en un sentido liberal. Baste un ejemplo: si el andalucismo histórico y el autonomismo de la Transición habían tenido la reforma agraria como uno de sus grandes objetivos, el «padre de la Andalucía moderna» fue el abogado contratado por la patronal para tumbar una y otra vez en los tribunales la ley que pretendió ponerla en práctica durante la década de 1980 —el proyecto se abandonó definitivamente en 1990, cuando el Gobierno andaluz ya planeaba la «operación Expo» para pasar (solo simbólicamente) la página del subdesarrollo—.

El «andalucismo» de Juanma, en fin, plantea continuidades importantes y significativas rupturas con el susanismo. Continúa profundizando en la identificación simbólica de Andalucía como esencia de España y defensora del orden constitucional, como ya hiciera Díaz, pero sin caer en la autocomplacencia socialista: puede reconocer perfectamente que muchos de los problemas históricos de Andalucía siguen ahí después de cuatro décadas de autonomía —al fin y al cabo, la culpa es de otro—. Por eso es capaz de exigir mayor autonomía, jugando al igual que Díaz la carta del agravio frente a Cataluña, aunque en su apuesta por la reforma de la financiación autonómica sea más combativo que sus antecesores —veremos si lo sigue siendo cuando gobiernen los suyos—. Y si el gran problema de Susana Díaz fue, decíamos, mantener el apego por la autonomía en pleno desmantelamiento de sus servicios públicos, el gran logro de Juanma está siendo asociar la identidad andaluza a una subjetividad neoliberal que no los necesita. *¡Andaluces, levantaos!* se convierte en una apelación a levantar las persianas de nuestros negocios, a convertirnos en nuestros propios jefes, a digitalizar e internacionalizar nuestras empresas. No nos conformemos con ser lo que fuimos, seamos más ambiciosos, aunque para ello hay que enviar a nuestros hijos a colegios privados y apuntarlos a clases de inglés —¡tendréis deducciones!—, hacerse un seguro médico y un plan de pensiones —¡más deducciones!—. El «¡Pedid tierra y libertad!» pasa a ser una petición de tierra recalificada como urbanizable y libertad para construir en ella sin cortapisas, claro. ¡Sea por una Andalucía tan libre como el Madrid de Ayuso, España y la Humanidad!

Si el autonomismo andaluz clásico encontraba su razón de ser en la construcción de un estado de bienestar propio, el nuevo autonomismo de Juanma se caracteriza por todo lo contrario: su autonomía consiste en la posibilidad de eludir impuestos, de saltarse controles medioambientales, de hacer negocios sin trabas burocráticas, de evitar listas de espera, de sacar a tus hijos del degradado instituto del barrio para darles un futuro mejor en la privada... No es ya la autonomía de un pueblo para dictarse sus propias normas, sino una autonomía individual en la jungla del sálvese quien pueda.

* * *

En 2002, mientras se iniciaba la construcción de aquel Museo Picasso que acabaría cambiándolo todo, unos raperos del barrio de Huelin llamados Triple X publicaron *Ya no te acuerdas*, una canción que habla del olvido de los advenedizos. De aquellos que, al llegar a lo más alto, reniegan de «cuando no había *na* de *na* / cuando la fama que tenías no era por cantar», es decir, de un pasado de miseria, delincuencia y trapicheos. Y creo que pocas canciones supieron intuir con tanta claridad el futuro de Málaga, una ciudad que corre el riesgo de creerse en demasía los versos de Vicente Aleixandre que la definen como: «ciudad no en la Tierra», hasta sentirse por encima de lo humano y lo divino. Esa crecida autoestima por el esplendor de los últimos años parece dopada por las mismas sustancias cuyo tráfico da de comer a muchos de sus barrios: hace imaginar una terrible resaca el día de mañana, pero mientras tanto parece tener efectos analgésicos. El crecimiento malagueño se sostiene invisiblemente sobre las doloridas espaldas de las *kellys* y los hombros de los camareros, se riega con el sudor de los espeteros y con el colirio que calma los ojos después de doce horas delante de un ordenador, se nutre de las jaquecas de unos trabajadores de la cultura precarizados hasta la médula y gana velocidad con el pedaleo de cada uno de sus *riders*. Todos ellos pueden sentirse, en el sentido que Juanma pretende darle, muy *autónomos* —especialmente, claro, quienes cotizan al más débil de los regímenes especiales de la Seguridad Social— pero en el fondo son completamente interdependientes entre sí y dependientes todos, a su vez, de las fluctuaciones de un mercado mundial frente al que —ya lo comprobamos con la pandemia— son cada día más vulnerables.

Nada de esto se intuye, claro está, en los decorados malagueños de *La monja guerrera*, pero sí en otra serie reciente. *Malaka* es un thriller de TVE que gira en torno al asesinato de la hija de un importante constructor malagueño. Como en *The Wire*, seguir el rastro del dinero conduce a los investigadores a descubrir los pasadizos que conectan Calle Larios con la Palmilla; la Málaga de postal, lujo y glamour con la precariedad, el narcotráfico y las violencias cotidianas de muchos de sus barrios. A diferencia de otras series ambientadas en la provincia como *Brigada Costa del Sol* o *Toy Boy*, *Malaka* es un producto con denominación de origen, de guion y reparto intensamente malagueños, lo que le reporta tantas alabanzas a la veracidad y naturalidad de sus protagonistas como críticas —otra vez— a su osadía de hablar andaluz. Y la banda sonora no se queda atrás. En su tema de cabecera, Rosario la Tremendita repite una y otra vez los últimos versos de una copla que cantara, muchos años atrás, Marifé de Triana: *Cuando un querer concluye, moreno, nadie se mata: a enemigo que huye, puente de plata, puente de plata...* Ojalá en la izquierda andaluza le hubieran hecho caso.

* * *

Si el curso político 2020-2021 había arrancado con la explosiva ruptura de la coalición Adelante Andalucía, profundamente dividida en torno a la cuestión del futuro cogobierno con un PSOE de Andalucía que seguía controlado por Susana Díaz, su final en el mes de junio va a cerrar muchas incógnitas. A las puertas del verano, con pocos días de diferencia, tienen lugar las primarias socialistas, la oficialización de Unidas Podemos por Andalucía y la refundación de Adelante Andalucía.

Empecemos por el final. Los expulsados del grupo parlamentario tenían dos opciones: construir una nueva marca andalucista desde cero, sin vinculación alguna al pasado traumático de los años anteriores, o reivindicarse como la esencia original de la izquierda andaluza, desvirtuada por el giro gobernista de Iglesias y Garzón. Al final toman el camino de en medio: un magnífico *spot* contra el centralismo madrileño anuncia su refundación en clave netamente andalucista, pero manteniendo el nombre de Adelante Andalucía y a Teresa Rodríguez como portavoz. «Ya no vendrán más traiciones, no vendrán más rupturas ni más mierdas», exclama Teresa con la Alhambra de fondo en su día grande. Pocas horas después, Izquierda Unida anuncia que tomarán medidas legales contra la «usurpación» de la marca Adelante. Es toda una declaración de intenciones: lejos de dar pasos hacia la reconciliación, la dirección de Unidas Podemos continuará un goteo de purgas «antitránsfugas» en cada ayuntamiento durante los meses posteriores. De puente de plata, nada: a enemigo que huye, caballería ligera. Ambas formaciones continúan protagonizando esporádicos conflictos mediáticos que cada vez importan menos a nadie. La refundación de Adelante no traerá la paz, pero al menos clarifica el escenario y entierra para siempre el tristísimo nombre de «Andalucía no se rinde».

La que seguía sin rendirse aquellos días era Susana Díaz, volcada en unas primarias en las que se presentó —ella, la Lady Macbeth del golpe de Ferraz— como poco menos que una militante de las bases andaluzas acosada por el aparato *sanchista* de Madrid. El transformismo, lógicamente, tiene sus límites, y su rival, Juan Espadas, acaba ganando de calle con un discurso de unidad, reconciliación y apoyo al Gobierno de Sánchez. No es que sea ninguna revolución dentro del PSOE andaluz, más bien parece puro continuismo; Espadas siempre fue uno de los más leales colaboradores de Susana y le reserva una jubilación digna: será nombrada senadora —en una sesión parlamentaria poéticamente interrumpida por la entrada de una rata en el hemiciclo— y paseará por todas las tertulias televisivas posibles.

Podemos e Izquierda Unida, por su parte, oficializan en el Parlamento su nueva denominación: Unidas Podemos por Andalucía. A pesar del desgaste de un conflicto en el que han perdido la marca y la candidata con las que se presentaron a las últimas elecciones, las encuestas les señalan como los depositarios principales del cada vez más exiguo voto andaluz de izquierdas más allá del PSOE. Están convencidos de que necesitan reivindicar y trasladar al sur la estrategia del cogobierno a nivel estatal y, en teoría, el camino queda despejado con Teresa y Susana fuera de combate.

Pero, ay, nunca hay que fiarse demasiado. Lejos de articular un frente común junto a Unidas Podemos para presentarse como alternativa, el PSOE de Juan Espadas ha oscilado entre una oposición reivindicativa del legado socialista y la mano tendida al Gobierno andaluz para grandes acuerdos que alejen a la extrema derecha del BOJA. Es posible que esta estrategia socialista solo se deba a la necesidad de ganar tiempo y construir para Espadas la misma imagen de «hombre tranquilo» y moderado, alejado del estilo arrogante y agresivo de Díaz, que tan buenos resultados está dando a Juanma, que según las encuestas no solo absorbería la mayor parte del voto de Cs sino también significativos segmentos del electorado socialista. Pero me pregunto si esa mano tendida a la gran coalición no es, en realidad, la consecuencia más lógica y coherente con la evolución del socialismo andaluz en los últimos años. Una opción que deja a Unidas Podemos compuesto y sin novia, a Adelante fuera de juego en su oposición ultraizquierdista al Gobierno central, y a Vox como única alternativa claramente definida —en lo monstruoso— al autonomismo turboliberal de Juanma Moreno. Para quienes hace diez años nos levantamos contra la precariedad y el fatalismo que parecían consustanciales al hecho de vivir en Andalucía e intentamos construir una opción política capaz de superar el estancamiento de cuatro décadas de autonomía, el balance no puede ser más desolador.

Recapitulando: buena parte del andalucismo y de las izquierdas afrontó la victoria de las derechas del 2D cavando trincheras, buscando fantasmas, esperando bárbaros. Por eso saltaba como un resorte, a menudo sobreactuando, cada vez que intuía alguna barbaridad. Por eso preferían chocar con Vox y sobreestimar su peso político, llegando a decir cosas como «es Abascal quien gobierna Andalucía». Pero lo cierto es que, acostumbrados al PP de siempre, tardaron años en cogerle la medida a Juanma, si es que se la han cogido a estas alturas. Encerrados en su línea Maginot, se entregaron al conflicto y la descomposición interna hasta extremos inimaginables, sin sospechar que, mientras tanto, Juanma Moreno atravesaba las Ardenas ondeando la bandera andaluza, con el PSOE aprestándose al colaboracionismo más obsceno por puro rédito electoral. Ojalá me equivoque, pero creo que pasarán años hasta que algún De Gaulle andaluz sea capaz de presentar una alternativa creíble desde la izquierda a esa síntesis superadora de susanismo y delatorrismo que es el «andalucismo» de Juanma. Parecemos estar condenados, como cantara Morente en «Manhattan», a veinte años de hastío por intentar cambiar el sistema desde dentro.

* * *

Linares, 12 de febrero de 2021. Unos policías fuera de servicio, con fama de acosadores, agreden brutalmente a un padre y su hija adolescente en una terraza a plena luz del día. La indignación prende entre los vecinos de una ciudad con el triste honor de encabezar el ranking de desempleo de toda la Unión Europea. El hartazgo por décadas de promesas incumplidas, abandono institucional y sensación de desamparo cristalizó en una concentración ante la comisaría de policía donde fueron llevados los agresores, que era nada menos que su propio centro de trabajo. Sus compañeros de servicio reaccionaron con una brutal intervención que dejó trece detenidos y decenas de heridos. La mayoría, golpeados por las porras y balas de goma, pero también un joven que había recibido disparos de escopeta en una pierna. Como en diciembre de 1977, como en abril de 1992, la policía volvía a usar fuego real contra manifestantes en Andalucía. Y de la misma manera, pocos meses después, un juez archiva la denuncia del joven herido de bala, «no habiendo sido posible concluir en responsabilidad individual».

Málaga no tiene buena memoria, decía antes, así en general. Pero de entre todos sus olvidos hay uno especialmente significativo, un misterio al que ya hicimos referencia al inicio de este libro. ¿Quién asesinó a García Caparrós? El documental *23 disparos* sacó a la luz testimonios y documentos inéditos sobre su asesinato, entre ellos una fotografía de varios policías entre los que podría estar el responsable del crimen. La cinta llega a su clímax cuando el investigador que lo protagoniza muestra dicha fotografía a varios de los testigos presenciales de la muerte de Caparrós, a los que verdaderamente *estuvieron allí,* en aquella esquina de la Alameda de Colón convertida en escena del crimen un 4 de diciembre de 1977. Uno de ellos es el mismísimo alcalde Paco de la Torre, por entonces un joven diputado de la UCD, que después de los primeros disparos se planta ante los agentes para ordenarles que enfunden inmediatamente sus armas. Meses después será, además, uno de los portavoces de aquella comisión de investigación que se cerró sin encontrar responsables y cuyas actas siguen siendo secreto de Estado. Sin embargo, a diferencia de otros testigos allí presentes, Paco se niega a mirar siquiera la fotografía. El mayor defensor de la memoria democrática en el Partido Popular repite excusándose, una y otra vez, que el valor de su testimonio, tantos años después, sería más bien escaso. Mientras lo repite no deja de sonreír a modo de disculpas, pero sus ojos se van volviendo cada vez más fríos, se van poniendo más alerta a medida que el investigador le insiste.

En su mirada está concentrada toda la esencia de la Transición. Paco estará convencido, sin duda, de que su olvido ha sido tan necesario como positivo: más de cuarenta años de democracia y autonomía así lo avalan. Personalmente puede estar orgulloso, además, de ser el único político en activo que no se ha movido de su cargo desde 2010, de haberse mantenido impertérrito mientras todo a su alrededor se ponía patas abajo. Y hasta de regir un ayuntamiento en la que la ultraderecha nunca ha tenido cabida. Olvidar la cara del asesino, nos dicen los ojos de Paco, era y sigue siendo imprescindible para mantener al monstruo dormido, a la democracia en orden y a la sociedad en paz y prosperidad. Aunque Juanma se reclame ostentosamente sucesor de Manuel Clavero, el hombre que más esfuerzos invirtió —infructuosamente— en construir un andalucismo de centro liberal, a mí me parece más bien heredero del alcalde que mejor supo encarnarlo durante décadas[7].

Unpopular opinion: yo no creo —no quiero creer— que ese «andalucismo de derechas» sea una aberración ideológica ni una imposibilidad histórica. Pienso, más bien, que la consolidación una derecha andaluza civilizada, comprometida con la democracia, orgullosa de su identidad, partidaria del autogobierno como expresión de un *demos* y un interés general propios, podría ser el mayor éxito de la Andalucía autonómica. Claro que esta ampliación del campo andalucista desvirtuaría el contenido netamente social que hasta ahora lo caracterizaba. Pero también supondría, en el fondo, la victoriosa ruptura con una larguísima historia de represión y violencia ejercida por parte de unas élites andaluzas que siempre se sintieron tan recelosas de su pueblo como dueñas del territorio por sagrado derecho de (re)conquista. Además de constituir, en la España del siglo XXI, una barrera importante al proyecto de recentralización e involución democrática que encabeza Vox con la adhesión entusiasta de importantes sectores del PP.

Por eso creo —quiero creer— que el talante de Juanma y su andalucismo *sui generis* no son coyunturales ni únicamente fruto de una calculada estrategia electoral. Que sinceramente desea preservar un

7 Como Clavero, De la Torre también inició su carrera política fundando un pequeño partido de centro-derecha andalucista —el Partido Andaluz Socialdemócrata— e integrándose en UCD. Pero a diferencia del viejo ministro de las Regiones, Paco sí aceptó la invitación del PP para concurrir en sus listas a mediados de los 90.

legado autonómico y democrático que siente como propio y por eso, sinceramente, se encuentra a disgusto con el auge de la ultraderecha. Pero me preocupa seriamente hasta qué punto es sostenible esa mirada del olvido, esa herencia delatorriana y setentera que impide en último término la ruptura definitiva con un pasado tenebroso, en una Andalucía en la que los monstruos tienen cada vez el sueño más ligero. Susana Díaz infravaloró, decíamos, la potencia destructora de la frustración, el cinismo y la antipolítica generada por su gestión de desguace y se encontró de bruces con el desborde ultraderechista del consenso autonómico. Juanma Moreno parece convencido de que a él no le pasará lo mismo. De que sus recortes fiscales y su desarbolado de lo público solo traerán mayor competitividad y crecimiento. De que su flirteo con los socialistas dará lugar a una gran coalición mucho más sólida que la que soñó Susana. De que su resignificación de lo andaluz en clave ultraliberal no va a alimentar, reactivamente, al españolismo más retrógrado como alternativa. De que él sí será capaz, en fin, de convivir con el monstruo, no afrontándolo de cara, sino toreándolo y apaciguándolo hasta que vuelva a caer rendido.

O tal vez yo mismo esté cayendo en la trampa de aquél que se presentó como «una persona normal que va a gobernar desde la normalidad». Quizá tenga razón mi amigo José Ignacio cuando habla de un premeditado reparto de roles dentro de las derechas andaluzas: «Unos gobiernan con mano de hierro neoliberal y con una pose moderada, mientras desde fuera la extrema derecha va lanzando debates, generando polémicas, cambiando poco a poco el sentido común, cambiando el lenguaje, creando hegemonía y haciendo más profunda la derechización de fondo de la sociedad [...]. El papel de Vox no ha sido hasta ahora implementar sus medidas neofascistas, sino generar el campo de cultivo cultural y social sobre el que sus medidas a medio plazo puedan implantarse». Si cuatro décadas de paz, democracia y autonomía no han sido suficientes para sacar de la Macarena a Queipo de Llano, ¿acaso habrán bastado para arrancarlo de los corazones de la derecha andaluza?

Sea como fuere, todo esto me trae a la memoria un libro que nada tiene que ver, en principio, con este tema. Una novela que habla de otra Andalucía que apenas aparece por estas páginas. De andaluces de la misma generación perdida, la que mayoritariamente considera que vivirá peor que sus padres[8] —lo que ya es decir, teniendo en cuenta en qué condiciones se encontraba Andalucía hace treinta o cuarenta años—, que nació en los mismos años y vivió las mismas crisis, pero que no fue capaz de traducirlas en grandes retos políticos, sesudas reflexiones identitarias ni originales expresiones culturales. Que malvivió y malvive entre chapuzas y trapicheos, que emigró y emigra en silencio, que pasó y pasa sin pena ni gloria porque nunca llegó a tener expectativas que pudieran ser truncadas. O, si las tuvo, ahogó su frustración entre ansiolíticos, alcohol y drogas, la canalizó en maltrato hacia sus seres queridos o en espontáneos estallidos violentos como los disturbios de Linares, que no tuvieron ni probablemente tendrán nunca la potencia constituyente de un 4 de diciembre. Esa Andalucía de la que casi nadie habla —tampoco este libro, seamos sinceros—, tan frustrada en sus esperanzas como sedienta de certezas, puede ser terreno abonado para el despertar de la bestia.

El libro, en fin, está escrito por un escritor granaíno que usa el seudónimo de «Juarma» y su título es *Al final siempre ganan los monstruos*. La posibilidad de una doble coincidencia en el autor y su obra como serendipia capaz de resumir estos años me fascina menos de lo que me aterroriza.

---

8 «Jóvenes andaluces 2021: Opiniones, actitudes y comportamientos», barómetro del Centro de Estudios Andaluces publicado en junio de 2021 y disponible en su web https://www.centrodeestudiosandaluces.es/barometro/jovenes-andaluces-2021-opiniones-actitudes-y-comportamientos.

Epílogo: Mañanas de mollete, noches de *breakbeat*

Llevo más de una tarde buscando la excusa perfecta, la letra perfecta para antes de irme[1]... Realmente son muchas más de dos tardes y de tres pensando la forma de ponerle fin a esta sucesión de reflexiones, citas, dudas, confesiones, imágenes y discusiones con fantasmas. En teoría ya está todo cerrado, pero el final del último capítulo me provoca un profundo desasosiego.

Me gustaría, no sé, terminar de forma redonda, regresando a una plaza de la Marina que esta vez esté cubierta de farolillos verdes y blancos, como si fuera Feria, y sacar alguna rotunda y hermosa conclusión de todo ello. Me gustaría, quizá, extraer una síntesis de todos los melones abiertos, uniendo los hilos para mostrar que, en el fondo, mi atropellada sucesión de imágenes tenía algún propósito. Me gustaría, en fin, poder cerrar este episodio con alguna fecha en firme que marque un punto y aparte —siquiera un punto y seguido— en la historia andaluza. Cuando vi en televisión las imágenes de la huelga del metal de Cádiz, sentí la tentación de cerrar así, con bravísimas andaluzas enfrentándose a una tanqueta que actualiza simbólicamente siglos de represión y maltrato centralista.

Pero no me convenció, y fui dilatando plazos de entrega, dando largas, revisando los capítulos anteriores en busca de flecos sueltos,

1 Son los primeros versos de *Desértico*, la última canción de Banzai, el disco póstumo de Gata Cattana.

de detalles pendientes. Y entre ellos estaba la entrevista a Curro, el de Califato, para afinar la narración del rifirrafe generado por el spot de Cruzcampo. Aproveché para preguntarle qué había pasado estos últimos diez años para que él pasara de cantar algo tan hardcore como *La Hermandad de los Muertos* (siendo vocalista de Narco) a producir un himno cofrade como *Crîtto de lâ Nabahâ*. Esperaba alguna respuesta esclarecedora que me ayudase a comprender mejor qué conclusión sacar de esta década que llevo meses pensando. Nada que ver. «Yo no veo gran diferencia entre una cosa y otra», me dice, «ninguna ruptura, solo evolución». En los casi veinte años que lleva haciendo música, me cuenta, siempre ha contado con los mismos ingredientes, los mismos elementos: la electrónica *breakbeat*, el rock, las marchas de Semana Santa, el hiphop y el folklore andaluz. Simplemente se van combinando de forma diferente para crear un tema hardcore sobre zombies cofrades o para montar una fiesta *break*. «Si acaso, ahora somos más conscientes» de la manera en que emplean esos ingredientes.

Quizá esa ansiedad por encontrar a nuestro alrededor hitos, momentos históricos, puntos y aparte, puntos finales… sea consecuencia de esa forma épica de entender la política como cantar de gesta contemporáneo, o sea, como serie de Netflix. La misma que nos ha dejado lisiados a cambio de un balance desolador.

A lo mejor tengo que pensar en una escena más cotidiana, de andar por casa. Por ejemplo, en mi cocina, donde en este mismo momento la válvula de la olla exprés gira vertiginosamente, emitiendo un inconfundible olor a puchero que me hace sentir en casa esté donde esté. Hace poco me tomé la molestia de hacer memoria y anotar dónde y con quién viví en los últimos diecisiete años, desde que dejé la casa de mis padres para ir a estudiar a Granada: más de cuarenta personas repartidas en once viviendas de cinco ciudades diferentes. Algunas siguen siendo amigos inseparables, de otras ni siquiera recuerdo el nombre. Con todos ellos compartí algún espacio impregnado de olor a puchero, es decir, un sitio al que en algún momento llamé hogar.

Y es que un puchero es, por definición, familiar. Por mucho que seas minimalista con sus avíos, hace falta una olla con muchos litros de capacidad para preparar ese caldo de huesos, carne y verduras. De modo que ahora, que vivo en pareja y con un congelador más bien modesto, me toca repartir tuppers casi todas las semanas. Casi siempre a mis antiguas compañeras de piso, que son lo más cercano a una familia que he construido estos años. Los tuppers congelados se convierten así en una excusa para encontrarse con las comadres, como una lumbre en torno a la que juntarse o unas sillas sacadas a la puerta, a la fresca.

El puchero simboliza el hogar, decía, pero también mi ausencia del mismo. Hace ya muchos años que dejé de recorrer carnicerías en busca de sucedáneos aptos del hueso añejo y el tocino salado que se emplean en Málaga para darle sabor y color blanco al caldo. Solo me valen los originales, los mismos que compra mi madre. De modo que el número de huesos restantes en mi frigorífico es también una permanente cuenta atrás, una alerta de la necesidad de volver periódicamente a Málaga. Y así, cada pocas semanas, me bajo en Atocha cargado de huesos para el puchero, de aceitunas aloreñas… y de kilos de aguacate.

Hace unos meses, causó cierto revuelo un columnista que afirmaba, a propósito de la cansina y repetitiva discusión en torno a la obra de Ana Iris Simón, que «los lujos de vivir sin patria, sin bandera, sin familia; las noches de MDMA y poliamor y las mañanas de aguacate y tofu no están al alcance de todos». No voy a entrar en el fondo de la cuestión, aunque reconozca al autor gran maestría en la construcción de sintagmas pegadizos, porque la frasecita de marras dio lugar a muchos chistes y memes durante largo tiempo. Lo que me niego a aceptar es esa caracterización del aguacate como lujo exótico, como epítome de lo posmoderno, como némesis de la patria o, peor aún, de la familia.

El cultivo de aguacate se introdujo en la Axarquía malagueña y la Costa Tropical granadina en torno a 1960, de modo que, para cuando yo nací, su consumo ya estaba más que normalizado. Recuerdo, así, ir a coger aguacates al campo que había frente a la urbanización en que veraneaba con la misma inocencia y naturalidad con la que otros robarían peras o recogerían setas en el monte. O los kilos y kilos de aguacate que le regalaban a mi madre cada otoño sus amigas con tierras, y que debíamos esforzarnos en comer antes de que se pasaran. Quiero decir con esto que un *millennial* malagueño como yo puede sentir por el aguacate el mismo apego sentimental que un jiennense por su aceite de oliva o un almeriense por sus tomates. Sé que el aguacate llegó a Andalucía para abastecer a unos hoteles empeñados en explotar nuestras costas como un Caribe *low cost*; sé también que su cultivo está agotando los acuíferos de la provincia, y aun así me resulta imposible entenderlo como algo contrario a la tradición, el terruño y la patria porque mi infancia, mi memoria sensorial y mi identidad están tan cargadas de aguacate como de molletes con aceite de oliva.

El pueblo judío celebra su Pascua comiendo pan ácimo, es decir, sin levadura, para conmemorar la huida de Egipto. Y el pueblo andaluz le sigue en ese empeño por reafirmar su identidad restándole ingredientes al desayuno. Estoy seguro de que mucha gente seguirá desayunando pan con aceite cada día —mi padre lo hacía, por ejemplo—, pero apuesto también a que la mayoría procura hoy añadirle, al menos, algo de tomate, una loncha de pavo, queso o jamón serrano. Pero, de igual forma que en la tradición judía el pan ácimo se entiende más puro por no estar contaminado con la levadura del anterior, la tradición andaluza no admite elementos ajenos al trigo y el olivar, padres del pan con aceite, como cantara el Cabrero. El sobrio desayuno de los jornaleros ha devenido el símbolo de una Andalucía idealizada, la que genera mayor consenso y menor conflicto, la que se celebra cada 28 de febrero en los colegios de toda la comunidad.

Califato ¾ celebró el último 4 de diciembre con el lanzamiento de un videoclip que comienza, precisamente, con un chorro de aceite cayendo sobre un mollete antequerano mientras se oye el clásico jaleo de fondo de cualquier colegio. A continuación suenan solemnes los primeros compases del himno andaluz, para inmediatamente romperse con los sonidos de un pato de goma y una base de *breakbeat* que una joven baila en el salón de actos. Cuando la pista incorpora las onomatopéyicas voces de Chiquito de la Calzada, dos niñas del público se suman al baile, recorriendo los pasillos y patios de la escuela hasta acabar en el gimnasio, donde la bailarina reposa, al fin, sobre la silla que corona un improvisado altar, construyendo una alegoría de la Andalucía del presente.

No sé qué bandera, patria o familia es incompatible con el aguacate y la jarana; pero desde luego no son las mías. La identidad andaluza de mi generación está hecha de entrañables mañanas de mollete e interminables noches de *breakbeat*, y tal vez por eso este «No înnô de Andaluçia» puede representarnos mejor que la solemnidad naif de un himno oficial que habla de siglos de guerra, de repartir almas de hombre, de volver ser lo que fuimos. Nos trajeron al mundo en una Andalucía vertiginosamente cambiante, contradictoria, precaria y ciclotímica, en la que los espejismos de progreso se sucedían con la misma rapidez con la que se superponían las crisis. A menudo nos obligaron, después, a hacer las maletas y marcharnos de allí. Y a pesar de todo ello, «incluso han conseguido» —añadía la Gata en el poema con el que abría este libro— «que nos guste lo que somos». Que nos guste *malamente* ser andaluces imperfectos, paradójicos, con un punto nostálgico y otro blasfemo, con nuestra Semana Santa y nuestra rave, nuestro puchero y nuestro aguacate.

Tal vez no exista conclusión coherente posible. Al echar la vista atrás y ver el relato de estos diez años, no puedo dejar de verme como uno de esos «niñatos soñadores» del poema de Ana que intentaron inventar fórmulas definitivas y la tarea les quedó demasiado grande. Si acaso, como decía Curro, la experiencia nos ha servido para aceptarnos, ser más conscientes de cuáles son nuestros ingredientes y seguir pensando, así, mejores recetas para el futuro.

No es tan mal balance para quienes seguimos creyendo en una idea —porque todo lo demás es estar muerto—.

Este libro está impreso con tipografía
Sabon tamaño 10,7 pt,
en papel coral ivory 90 gr.
Se terminó de imprimir en los talleres
de Kadmos en febrero de 2022.